BICENTENAIRE

DU MÊME AUTEUR

Depale, en collaboration avec Richard Narcisse, éditions de l'Association des écrivains haïtiens, Port-au-Prince, 1979.
Les Fous de Saint-Antoine, éditions Deschamps, Port-au-Prince, 1989.
Le Livre de Marie, éditions Mémoire, Port-au-Prince, 1993.
La Petite Fille au regard d'île, éditions Mémoire, Port-au-Prince, 1994.
Zanjnandlo, éditions Mémoire, Port-au-Prince, 1994.
Les Dits du fou de l'île, éditions de l'Île, 1997.
Rue des Pas-Perdus, Actes Sud, 1998 ; Babel n° 517.
Thérèse en mille morceaux, Actes Sud, 2000 ; Babel n° 1127.
Les Enfants des héros, Actes Sud, 2002 ; Babel n° 824.
Bicentenaire, Actes Sud, 2004.
L'Amour avant que j'oublie, Actes Sud, 2007 ; Babel n° 969.
Haïti (photographies de Jane Evelyn Atwood), Actes Sud, 2008.
Lettres de loin en loin. Une correspondance haïtienne. Avec Sophie Boutaud de La Combe, Actes Sud, 2008.
Ra Gagann, Atelier Jeudi soir, 2008.
Éloge de la contemplation, Riveneuve, 2009.
Yanvalou pour Charlie, Actes Sud, 2009 (prix Wepler 2009) ; Babel n° 1069.
La Belle Amour humaine, Actes Sud, 2011 (Grand Prix du roman métis, Prix du salon du livre de Genève) ; Babel n° 1192.
Objectif : l'autre, André Versaille éditeur, 2012.
Le Doux Parfum des temps à venir, Actes Sud, 2013.
Parabole du failli, Actes Sud, 2013.
Dictionnaire de la rature, en collaboration avec Geneviève de Maupeou et Alain Sancerni, Actes Sud, 2015.

© ACTES SUD, 2004
ISBN 978-2-7427-6015-2

LYONEL TROUILLOT

BICENTENAIRE

roman

BABEL

pour Anne-Gaëlle
qui a su nous comprendre

pour Sabine, Maïté, Manoa
en temps d'angoisse et d'espérance

pour celles et ceux qui sont descendus dans la rue

Certains lecteurs jugeront peut-être nécessaire d'établir un lien entre ce récit et les événements politiques qui marquèrent le bicentenaire de l'indépendance de la république d'Haïti. Toute ressemblance avec des personnes vivantes ne serait donc en rien le produit du hasard, mais un effet délibéré autorisant le lecteur à démêler le faux du vrai, à vérifier les faits auprès des chroniqueurs, et la seule conclusion intéressante consisterait à classer le conteur parmi les bons ou les mauvais selon sa relation des faits. L'erreur viendrait de croire que le récit commence avec la phrase la moins vraie, celle qui amorce le piège : "L'étudiant descendait la colline en caressant le sol de ses pas pour ne pas réveiller son frère…" Cet étudiant qui pourrait s'appeler Lucien Saint-Hilaire, son frère, qu'on ne désignera ici que sous les sobriquets "le petit" et "Little Joe", n'existent pas. Comme leur mère et la mer, et tous les autres personnages. Tout ne peut être qu'imaginé, les dialogues, le parcours, la ville, le contexte. Tout ici ne renvoie qu'à l'incommunicable, au silence que cachent le bruit et la fureur. Le propos n'est donc pas d'éclairer la lanterne de qui voudrait comprendre pourquoi la police a donné la charge sur une foule pacifique, pourquoi telle ville pousse au crime, pourquoi ci et pourquoi ça. *Comme dans tous les récits, on entendra ici plus de voix que de causes. Ou chaque voix explorant dans son monologue sa cause ou son absence de cause, ce qui lui appartient en propre : sa part de quête et d'ignorance.*

Après tout, il se peut que les choses (mais lesquelles ?) se soient passées ainsi dans une île de la Caraïbe. Une foule qui marche, tombe, se relève, appartient au monde du visible, mais que diable se passe-t-il dans la tête des gens ? Dans celle, par exemple, d'un étudiant qui s'appellerait Lucien Saint-Hilaire, alors qu'il descend la colline en caressant le sol de ses pas pour ne pas réveiller son frère, ses voisins, puis rencontre un certain nombre de personnes – et dans leurs têtes aussi se passent beaucoup de choses. Un étudiant qui marche, qui existe et n'existe pas, et pose sans réponse la question de l'existence. Sans savoir qu'au bout de la marche il va mourir, ce que le lecteur sait déjà au début du récit, prenant ainsi sur le héros une inutile longueur d'avance.

L'étudiant descendait la colline en caressant le sol de ses pas pour ne pas réveiller son frère qui dormait encore dans la chambre commune la tête sous l'oreiller, la bouche heureuse tétant un pouce et toute la paix du monde régnant sur le visage, une paix durable comme l'enfance et fragile comme elle, une paix hors contexte sur cette face d'ange délocalisée faisant mal corps avec la suite, les bras, le torse, les jambes, jusqu'à la plante des pieds, tatoués de héros et de slogans hétéroclites : Guevara, Wycleef Jean, Tim Duncan, *shoot to kill*, les femmes c'est de la merde, les rats pourrissent dans leur trou, je veux tout, *peace and love*. Les réveils étaient douloureux, violents, et l'étudiant n'avait pas le cœur à engager le combat avec ce corps livre et spectacle qui voulait dire en même temps chaque chose et son contraire.

Il ne fallait pas non plus réveiller les voisins : deux fillettes en petite culotte peu importaient le jour et l'heure, qui tapaient l'une sur l'autre dès leur première apparition, se consolaient du match nul en tournant leur colère vers un petit garçon entièrement nu à part sa chemisette aux couleurs de son rhume et qui, lui, s'entraînait à hurler, comme une mesure préventive, avant la première baffe, continuait pendant la raclée, tirant sur le volume jusqu'à ce que ses cris finissent par alerter le corps sec de la mère, sa peau tendue par la misère, son éternelle mauvaise humeur, qui bondissait dans la cour pieds nus et en chemise de nuit, les mains lourdes de conséquences, et tapait sur tout le monde en hurlant elle aussi, de sorte qu'on ne pouvait dire quel était le bourreau, quelles étaient les victimes.

Les fillettes dormaient encore, et l'étudiant descendait la colline sans faire de bruit, en se disant que si jamais il lui arrivait d'écrire un roman il en écrirait un dont le héros serait le silence, un livre du regard faisant l'économie du bruit. Quel passant le croirait s'il allait lui confier que son bonheur de la journée était fait, qu'il ne s'attendait à aucun grand bonheur : une pensée pour Ernestine, une autre pour l'Etrangère et une troisième pour la mer, qu'il descendait la colline sans penser à plus, ni à bien ni à mal, pas même à sa vie qu'il allait risquer, se contentant d'apprécier que, contrairement à la veille, ce matin-là il faisait soleil. Le tendre soleil de décembre qui ne vous brûle pas la cervelle comme les durs rayons des mois difficiles, septembre et octobre avec leurs exigences de rendement et leurs charges administratives. Il aimait ce soleil de décembre qui se levait, léger, comme n'ayant rien à voir avec la flambée des prix, la rentrée universitaire, toutes les charges de la vie courante des mois précédents, la plus lourde de toutes, la corvée du retour à l'arbre dans la chaleur de septembre, les retrouvailles avec l'enfance, les filles des premières amours transformées par le temps en de robustes paysannes aux jambes arquées comme Pelé, avec des voix de certificat d'études primaires, des voix pleines de défiance et de reproches, respect dû à la réussite et haine envers le traître, des voix en mal de compréhension, lui rappelant que *tu nous trouvais jolies quand nous avions sept ans et tu guettais, sournois, l'absence des adultes pour nous mettre la main dans des lieux interdits, pour rire et par désir aussi.* Qu'elles étaient douloureuses, ces confrontations obligées avec les filles du mal d'enfance, pathétiques et sublimes de vaines attentes fondées sur le souvenir, leur légèreté debout à la pointe du sein, leurs bras tendus du fond des yeux, leur pauvreté de souveraines offertes mais candides qui lui parlaient comme dans un jeu : *fais voir tes mains*, prenaient acte de la distance : *comme tes mains ont changé*, concluaient, résignées : *tu as des mains de philosophe*, et laissaient le reste au silence. Ah ! Quel bonheur, ces retrouvailles, si leurs yeux ne lui disaient pas *tu pues l'odeur de la grande ville, pourquoi es-tu parti sans nous ?* Si lui ne se demandait pas quel adulte il serait devenu si... Et le moment le plus pénible quand, installée sur sa chaise basse, les paumes croisées sur sa canne, aveugle, et toute de lumière, l'oreille épiant le moindre geste, sa mère lui demandait des nouvelles du petit. Et lui ne savait que répondre, sachant que derrière le vide de ses yeux elle percevait quand même l'étendue du désastre, que sa douleur et son inquiétude perçaient sans trop d'efforts le mur de cécité mais rusaient avec le mensonge pour la protéger, elle, par besoin d'illusions. *Lucien, je veux avoir des nouvelles du petit !* Et lui ne trouvait pas de bonne réponse, jouait mal son rôle de messager, perdait la face devant l'Aveugle, se savait nu, cherchait l'ombre et cachait son visage derrière ses mains de "philosophe", se réfugiait dans le silence, disait les choses à l'intérieur. *Ah, Ernestine Saint-Hilaire, il n'y a pas que tes yeux qui ont perdu la vue !* Car en vain tu insistes en tapant le sol de ta canne.

Et tu as beau crier : *Ernestine Saint-Hilaire, moi Noire, je veux que tu me donnes des nouvelles du petit !* Ce qui est fait est fait. Tais-toi, ma mère, laisse faire le silence. Tellement il y a longtemps que le petit a grandi vite dans les bas-fonds de Port-au-Prince. Tellement il y a longtemps que le petit ne veut plus entendre parler ni de mère ni de Plateau central. Tellement le petit ça fait longtemps que sa tête, son corps, ses rêves et son absence de rêves t'ont laissée accrochée dignement à ta lointaine histoire, clouée comme une relique aux branches desséchées de ton arbre généalogique. Ernestine Saint-Hilaire, je n'ai rien à te dire ! Et la mère – *Ernestine Saint-Hilaire, moi Noire, qui ai envoyé mes enfants faire leurs études à Port-au-Prince* – qui n'a jamais parlé de quoi que ce soit, le soleil, la lune, le matin, la sécheresse, la pluie, le grand baume et le petit baume sans y mettre l'emphase, Ernestine Saint-Hilaire, *moi Noire*, qui n'a jamais su faire la paix avec le silence, qui a toujours pris la parole pour le seul exorcisme, fouillait dans son panier de vérités en quête d'une langue d'espérance, un parler en dépôt qui chasserait le malheur à coups de formules et d'images : *un mal, c'est toujours pour un bien, faut voir l'avers de la médaille, quand vous aurez de bons emplois...* basculait dans le doute, trébuchait malgré elle sur une parole plate, ras sol, sans envergure, cafouillait, bafouillait et perdait la bataille contre le désespoir : *y a trop d'idées à Port-au-Prince, le petit n'est pas né pour se battre contre les idées, j'aurais dû le garder ici, mais qu'est-ce que j'aurais fait avec l'un qui sait lire et l'autre qui végète !* Et l'étudiant se cachait le visage, donnait dos à l'Aveugle : Ernestine Saint-Hilaire, que j'ai mal quand tu te lamentes ! Et toi qui continues, qui parles en vain, courbée par la défaite et droite comme l'orgueil, qui te cherches une explication, une logique, un *mea culpa* : *Et toute cette violence qui nous arrive des transistors ! Les voisins me rapportent tout, moi je n'écoute pas la radio, ça parle tout le temps de la mort. Le petit n'est pas né pour se colleter à la violence, souviens-toi comme il était doux...* Et l'étudiant avait envie de crier que quatre ans ne suffisaient pas pour lui donner statut d'aîné, qu'il souffrait qu'elle ne lui ait jamais dit : *et toi, Lucien, comment vas-tu ?* mais seulement : *il t'en reste encore pour combien de temps ?* Et puis, merde, que je t'aime, Ernestine Saint-Hilaire, mais est-ce qu'ici dans cette campagne pourrie que le petit veut oublier, vous ne continuez pas à vous couper la tête pour une poignée de haricots et quelques épis de maïs ! Et Ernestine, de nouveau forte, parlant de choses qu'elle connaissait, de sa violence à elle, à son aise dans son terroir, dans son pays à elle, éternel et inaliénable : *Oui, la tête, et aussi les mains. Va-t'en le dire, Lucien, à tes profs qui croient tout savoir ! Ici on a les idées claires. Ecoute ce que te dit Ernestine Saint-Hilaire. Moi Noire, je sais de quoi je parle. Ici, c'est clair comme l'eau des cruches qu'un tel devra mourir demain : le voisin a perdu son veau, et c'est écrit dans nos usages que tout empoisonneur connaîtra lui aussi la raideur du poison. Ici, c'est clair comme la lumière d'un matin de dimanche de Pâques que tel nourrisson qui babille au mitan de la saison sèche ne connaîtra pas l'eau des pluies, car la querelle n'est pas vidée entre les deux familles, et bien des nourrissons sont appelés à mourir. Ici, il y a des règles et les idées sont claires !*

L'étudiant descendait la colline sous le doux soleil de décembre en se remémorant sa dernière visite à sa mère – *Ernestine Saint-Hilaire, moi Noire, il n'y a pas que tes yeux qui ont perdu la vue !* – et sa façon bien à elle d'être belle et sincère, naïve comme un anachronisme, *Ernestine Saint-Hilaire, moi Noire !* comme un coin de verdure dans un monde en béton. Oui, je t'aime, Ernestine Saint-Hilaire, aveugle d'yeux et de tendresse, qui ne comprends plus rien à rien, qui n'as jamais compris grand-chose à la vitesse du temps qui passe et ne voudras jamais entendre que le petit avait fêté ses dix-neuf ans sur les bancs d'une classe de neuvième année fondamentale et souhaitait fêter ses vingt ans ailleurs. Dans un monde qu'il s'était taillé lui-même avec le peu qu'il possédait, violemment, comme il tranchait au rasoir des tonnes de pages de magazine pour couvrir le mur de la chambre des photos de ses idoles. *Ernestine Saint-Hilaire, la vie a perdu le petit.* Il est arrivé un soir dans notre chambre commune, le corps bourré d'acide, et je ne l'ai pas vraiment reconnu tellement il avait une tête de Jamaïcain dans un film de Steven Seagal. Il s'est assis en face de moi pour que nos yeux ne se ratent pas, pour que les choses soient dites à la fois en paroles et dans le silence. Il a dit *l'Aveugle elle peut continuer à envoyer l'argent, parce que l'argent ça ne se refuse pas, mais c'est fini toutes ces conneries* ; il a pris un de mes livres sur la table, n'importe lequel, il l'a retourné dans ses mains (comme dans notre enfance, les doigts tordus par l'abjection, il prenait les couleuvres dans ses mains avant de leur écraser la tête à coups de pierre), il a mis trente secondes à lire le nom de l'auteur, comme s'il butait sur une montagne, il a prononcé avec difficulté, en contrôlant sa respiration pour bien détacher les syllabes, *Spi... no... za*. Le petit n'a jamais été un grand lecteur depuis l'époque du pensionnat. Tenant sa vengeance, il a lancé le livre contre le mur, de toutes ses forces, la reliure fragile n'a pas tenu le choc, les pages détachées de la couverture se sont éparpillées dans la pièce, dans mon coin à moi où il n'y a pas de photo, dans son coin à lui, sous les photos coupées-collées de Malcolm, Kadhafi, Kobe Bryant et quelques stars de films pornos. Il a sorti une arme de sa poche et il l'a posée sur la table, pour remplacer le livre, il a dit *ça s'appelle un Glock, c'est mon diplôme de normalien*. Le petit, côté phrase, il ne dépasse pas la moyenne. Il parle sec comme les tueurs. Il a manipulé l'arme avec des gestes d'expert, faisant rouler la crosse dans sa paume, lentement, puis vite, puis de plus en plus vite, arrêtant brusquement le mouvement, héros de cinéma pointant l'arme contre l'ennemi, visant la couverture du livre, se retournant ensuite vers moi, faisant de nouveau tourner l'arme dans sa paume, lentement d'abord, puis de plus en plus vite, arrêtant le geste brusquement, l'arme pointée sur la cible choisie, la main ferme, sans tremblement, pour nous prouver à tous les deux que la première fois n'avait rien à voir avec la chance, que ce n'était qu'un aperçu de ce dont il était capable, que la deuxième était la bonne, celle qui comptait vraiment et marquait son pouvoir, visant cette fois-ci le mur juste au-dessus de ma tête, me regardant droit dans les yeux, ses yeux me faisant la leçon, ne cachant rien : *Moi, j'ai fait le choix qui s'impose entre un tiens et deux tu l'auras ; toi, tu ne sauras jamais choisir, tu passeras ta vie à hésiter entre ton rêve d'une vie normale dans un pays normal – ta destinée la moins probable – et la force d'arracher à l'arbre la branche qui t'est refusée. Voilà ! Je crache sur tes livres et sur cette vieille folle d'Ernestine, sur tes camarades de promotion, vos vaines espérances. Tu rêves peut-être d'être recteur – je sais pas ce que ça veut dire, mais c'est un mot qu'on entend souvent à la radio, il paraît qu'y en a un qui s'est fait tabasser –, diplomate ou je sais pas quoi. T'en as déjà vu, toi, des diplomates, avec une mère comme Ernestine et une tête comme la tienne ! La vie, c'est comme une arme, et une arme ça tire des coups. Vite. Trop vite pour ton Spi… no… je sais pas quoi. C'est un Allemand ou quoi ? Il n'y a qu'un seul Allemand qui compte, c'est Hitler. Tout le monde le sait, mais personne n'ose le dire. Ceux qui radotent à la télé ne révèlent jamais ce qu'ils pensent. L'Allemand qui compte, c'est Hitler ! Si les Américains s'en étaient pas mêlés, il aurait tout raflé, Hitler. J'ai pris ça dans un film, mais toi tu ne vas jamais au cinéma, tu te la joues tout seul avec tes livres, tes réunions. Même en bande, vous vous la jouez tout seuls avec vos groupuscules débiles, vos projets de société, vos gueules de déjà vieux et vos Spi… no… je sais pas quoi ! Moi, mon projet de société, je le tiens ferme dans ma main, et ça peut ouvrir toutes les portes. Et le petit – Ah, Ernestine Saint-Hilaire,* moi Noire, qui ai éduqué mes enfants dans le res- pect de la vie ! – a tiré une balle au-dessus de ma tête, juste au-dessus, pour montrer qu'il savait viser, et que, pour voyager dans la ville et l'acide, il possédait ce qu'il fallait. L'arme et le manie- ment des armes. Sa part de nerfs et son fair-play. Son bon cœur et sa charité. Vu que *j'aurais pu te tuer, et pas besoin de te gêner pour tout racon- ter à l'Aveugle ! N'attends pas qu'elle soit sourde, que son corps soit vraiment pourri, insensible à tout, même à sa propre odeur. La dernière fois que j'y suis allé, elle sentait déjà la vieille. Raconte-lui à la vieille et dis-lui merde, personne de sensé ne voudrait repartir vers cette terre sèche et blanche comme la poudre de squelette. Je l'emmerde, l'Aveugle !*

La veille l'étudiant avait pensé emprunter l'arme de son frère pour descendre la colline, passer prendre sa paie et rejoindre ses amis. Mais la consigne était d'y aller les mains nues, et il ne se jugeait ni assez intelligent ni assez important pour défier la consigne. Même s'il trouvait bête d'y aller les mains vides, à visages découverts, avec la toile des banderoles et l'encre des slogans pour mener leur bataille, alors que les autres étaient bien regroupés dans les cars de police, anonymes et hors de portée, avec leurs boucliers, leurs mitraillettes et leurs cagoules. *Ernestine Saint-Hilaire, moi Noire, je vous le dis, fou celui qui part en guerre sans son bâton !* C'est ça que tu aurais dit, après avoir dit *mon fils, es-tu certain d'avoir raison dans ta raison ?* Et qu'est-ce que je pourrais te répondre ? Je marche, et c'est là que vivent mes paroles. Je ne pourrais rien dire, comme lorsque tu me demandes des nouvelles du petit. Pourquoi mettre les choses en mots, chercher la vérité dans le fond de la gorge ? *Pourquoi chercher l'os dans la moelle du gombo ?* Tu aurais posé cette question. Puis, tu m'aurais quand même demandé pourquoi ci et pourquoi ça. Ce que je ne sais pas, et ce que je ne peux pas te dire. Par exemple que je t'aime, Ernestine Saint-Hilaire. Je t'aime, et je suis tout ce qu'il te reste.

Cependant le petit a raison sur un point, le temps que les choses changent, tu seras morte et enterrée dans ton trou du Plateau central. Oui, je t'aime, Ernestine Saint-Hilaire. Il y a toi, il y a l'Etrangère. Je ne te l'ai jamais dit. Toi non plus, tu ne me l'as jamais dit. L'amour, pour nous, c'est pas un mot de tous les jours. Et ça me manque. Pourtant, la vie n'a rien de spécial aujourd'hui. La vie est bête, comme hier. Mais aujourd'hui c'est jour de marche. Et quand on marche, ça laisse aux choses auxquelles on pense tout le temps la chance de revenir. Ces choses qui seraient, si seulement...

Arrivé au bas de la colline l'étudiant n'était toujours pas certain d'avoir fait le bon choix en obéissant à l'option pacifique. Il s'en voulait de ne pas posséder une arme comme son frère. Une arme de poing, pas quelques phrases qui ne font mal qu'à la morale. Les gens se font vite à l'injure, on ne gagne pas les guerres à coups de vexation. Il voulait posséder une arme, une vraie. Capable de blesser l'ennemi, d'attirer l'attention de la chair de l'ennemi, de l'atteindre dans ce qu'il a de précieux, dans sa partie concrète. Le petit lui criait souvent que c'est dans la chair qu'il faut faire mal, c'est dans sa chair que le monde change. Lui ne possédait pour toute arme qu'un vieux manuel de grammaire. Un bouclier de pacotille perdant la guerre contre l'ennui aux heures des cours particuliers qu'il donnait à des gosses de riches. Un manuel de grammaire pour entrer dans le monde, payer le loyer, ramener des petits cadeaux à Ernestine quand il la visitait dans sa province perdue. Acheter des cigarettes. Il lui fallait des cigarettes. Lorsqu'il passait chercher sa paie, le docteur, son employeur, lui en offrait. Uniquement le jour de la paie. Toujours le dimanche. Comme un fait exprès : seuls les pauvres courent après leur salaire le dimanche. Jamais en semaine. Avant de s'installer devant sa télévision, le docteur ouvrait parfois la porte de la salle d'études pour jeter un coup d'œil sur les progrès de la leçon. Un bonjour pressé, indifférent. L'offre des cigarettes et le brin de conversation ne venaient que le jour de la paie. Une offre sale. Une torture symbolique. Pour se protéger, l'étudiant achetait deux ou trois cigarettes dans un commerce de détail avant de passer chercher son dû. De préférence, à l'*Epicerie du vrai Port-au-Princien*. Au bas de la colline. Il achetait trois cigarettes, rarement quatre. Et, comme en conclusion d'une entente tacite, comme un mensonge allant de soi, une communion dans l'illusion, l'épicier sortait un vieux paquet vide et le tendait à l'étudiant. L'étudiant prenait le paquet, le contemplait, joyeux, merveille des merveilles, le portait à sa bouche, soufflait dans l'ouverture pour lui donner de l'allure et y mettait ses cigarettes. Pour faire plus propre. Et quand le docteur l'invitait au salon et lui offrait la plus longue des Benson and Hedges après s'être informé des progrès de son fils, il remerciait poliment mais préférait les siennes, et le docteur commentait : *il est bon que les jeunes aient le goût de la couleur locale. Un zeste de nationalisme ne peut pas vraiment faire de mal.* L'étudiant allumait sa cigarette et fumait d'égal à égal avec le chirurgien à la mode qui ouvrait la panse des riches pour un oui, pour un non, la refermait ensuite comme si de rien n'était. Et tous deux fumaient en faisant semblant de s'intéresser l'un à l'autre, en faisant semblant d'avoir des choses en commun, devisant en amis sur le pays, l'enseignement de la langue française, la morale, l'adolescence, les fumées de leurs cigarettes se mêlant au-dessus de leurs têtes, jointes sans conséquence dans une sorte d'au-delà, également bleues dans la lumière du faux plafond, leurs regards pourtant se fuyant, évitant que leurs yeux, encore les yeux, ne révèlent leurs secrets, leur mépris l'un de l'autre. Et le docteur s'informait de l'évolution du mouvement des étudiants, comprenait leur révolte. *Mais en vérité je sais que tu me détestes et te dis que ce n'est pas juste que j'habite dans cette maison dont mon crétin de fils héritera alors que toi, qui vas au théâtre dans les livres, tu n'habites probablement nulle part.* Et l'étudiant remerciait de l'intérêt que le docteur portait à leur cause. *Mais tu n'es qu'un rustre aux doigts habiles avec de l'argent à jeter. Même si tu multiplies par quatre la pitance que tu me paies, ton fils n'apprendra jamais rien.* Puis le docteur mettait fin aux deux conversations, l'audible et l'inaudible, par une simple question : *par chèque ou en espèces ?* Et l'étudiant répondait : *en espèces.* Et le docteur souriait à ce signe de pauvreté (ou telle était l'interprétation de l'étudiant), sortait l'argent de son portefeuille, écrivait son vrai texte, de volutes en volutes, en tendant les billets : *D'accord. Mon fils n'est qu'un crétin qui ne comprend rien aux temps simples, mais, toi, tu devras te faire chier longtemps à lui apprendre les subjonctifs, parce que c'est comme ça. Moi, je paie, toi tu touches, c'est le vulgaire jeu de rôle entre le luxe et la nécessité, entre l'orgueil et le statut. Il faut qu'Alfred prenne des leçons, ça correspond à notre statut.* Et la conversation muette se cachant derrière la façade, perçant sous les intonations. L'évidence du mépris derrière la voix claire d'homme du monde parlant en père responsable : *Et combien de temps pensez-vous que devra se poursuivre la remise à niveau ?* Et l'étudiant, le ton très mesuré, de plus en plus professionnel, la main pourtant nerveuse écrasant le mégot dans le cendrier de marbre, la voix jouant le calme, grave et légère, cherchant à moduler l'effet de compétence : *encore quelques mois, la qualité de la production écrite s'améliore, mais lentement.* Et leurs yeux se parlant toujours, le docteur prenant ses aises, allumant exprès une deuxième cigarette, cherchant à conduire l'autre à la rupture de stock : *mais oui, mon salaud, tu as besoin de cet argent, et ma femme est complètement folle d'espérer que son crétin de fils sera un jour capable d'écrire une phrase complète. Alfred !* Et Alfred arrivait l'air mauvais, le crâne bourré de Game Boy, d'XBox, la gueule en PlayStation, le corps trop épais pour un gamin de quatorze ans, le regard hébété, ivre de pacotille électronique, les mots lui venant difficilement. Alfred peu fier et pas très concerné, se sachant incapable d'accorder le plus banal des adjectifs avec les noms les plus communs comme dans bande dessinée. Alfred, vraiment pas fait pour les verbes qui se suivent : *pourquoi les mettre l'un derrière l'autre ? Et bientôt je partirai d'ici pour étudier un métier facile en Floride. C'est ma mère qui a inventé cette histoire de leçons particulières, rien que pour emmerder le père. Ces deux-là, qu'est-ce qu'ils foutent ensemble depuis le temps qu'ils ne baisent plus !* Et l'étudiant se souvenant que même le pire des crétins se livre parfois aux confidences, se rappelant les seules phrases sorties de la bouche d'Alfred durant ces mois passés ensemble à explorer la langue française : *monsieur Lucien, mon père et ma mère font chambre à part et l'un ne va jamais chez l'autre.* Et l'étudiant qui n'avait pas appris à parler de ces choses dans la salle d'études d'un couple de bourgeois avec un garçon dix fois plus bête que la moyenne ne savait pas s'il s'agissait d'un véritable cri du cœur ou d'une vulgaire provocation. Et Alfred, insistant : *ils ne couchent plus ensemble et l'un emmerde l'autre. C'est pour ça que vous êtes là. Ma mère, elle voulait ces leçons, parce que le père il n'en veut pas.* L'étudiant savait pourquoi il était là, pourquoi les leçons allaient durer encore quelques mois, allumait fièrement sa dernière cigarette en s'apprêtant à prendre congé. Et la finale se jouait à trois tous les derniers dimanches du mois. Le docteur, l'homme qui paie, assurant son autorité. Distribuant les rôles. Sec. Rapide. En phrases courtes. *Alfred, tu continueras tes leçons avec M. Lucien ! Oui, père. C'est bien Lucien, n'est-ce pas ? Oui, docteur. Je compte sur toi, Alfred. Oui, père. Je compte sur vous, Lucien. Oui, docteur. Vous établirez vous-mêmes vos horaires, et j'espère de réels progrès. Oui, père. Oui, docteur.*

Au pied de la colline l'étudiant s'arrêta à l'*Epicerie du vrai Port-au-Princien*. Au fil des ans, l'épicier était devenu une connaissance. La première fois qu'ils s'étaient parlé, l'étudiant avait mal réagi au test que le marchand de produits alimentaires faisait passer à chaque nouveau client. *Grande Anse ou Plateau central ? Plateau central, pourquoi ? Hélas, il n'y a plus de Port-au-Princiens !* L'étudiant n'avait pas apprécié cette enquête sur les origines. A l'époque, le petit était encore petit, en fin d'enfance mais déjà querelleur, et l'étudiant craignait une réaction violente de sa part si le vieux commerçant l'énervait avec ses questions. La réaction était venue, injures et vandalisme. Mais l'épicier n'avait pas porté plainte, il s'était contenté de dire qu'à Port-au-Prince comme au Plateau central les frères ne se ressemblent pas forcément, qu'il avait eu un frère lui aussi. Dans une autre époque. Au temps où la famille, ça existait. Depuis cette première rencontre, l'épicier appelait toujours Lucien "l'étudiant", et baissait le volume de son transistor pour faire un brin de conversation autour du sens d'un mot utilisé par un pédant dans un débat radiophonique sur les préparatifs de la célébration du bicentenaire.

L'épicier était assis derrière le comptoir, le gros transistor posé devant lui, sur sa droite, à côté du bocal contenant les bonbons. Il se livrait à son exercice favori : le tour des postes sur le cadran de son transistor. Il voulait prendre quelqu'un à témoin. Il avait soif d'un auditoire, l'étudiant arrivait au bon moment. *Ecoute ça.* Dans l'international un avion tombait quelque part. *Quand c'est pas les bombes, c'est les défauts de fabrique. Quand donc admettront-ils que l'homme n'est pas fait pour voler ! Bon, on change.* Sur une autre station, aux nouvelles nationales, la voix sans chaleur d'un ministre sur le thème des valeurs culturelles et de l'autorité de l'Etat. *Ta gueule, monsieur le ministre, y a même plus la fanfare du Palais national. Quelle honte ! Des cuivres qui bégaient et un pâle chef d'orchestre ! Je parie qu'il ignore qu'il existait autrefois un vrai conservatoire ! Bon, on change.* Troisième station, même déception : le sermon d'un pasteur baptiste. *Celui-là, ça doit faire une heure qu'ils repassent sa diatribe en boucle. Ils sont même plus foutus de prier en direct ! Bon, on change.* Au cinquième poste l'épicier décidait enfin qu'un vieil air des années 1960 était le seul bonheur qui passait sur les ondes. *Nemours Jean-Baptiste, 1962. Ça, c'était de la musique ! Ça, c'était une époque ! Les rues toujours bien propres, et, le vendredi soir, bien rasé et tenue de ville on était invité à un bal de salon. Tout le monde connaissait tout le monde ! Port-au-Prince aux Port-au-Princiens ! Je dis pas ça pour toi, l'étudiant ! Nemours Jean-Baptiste, 1962, et tu dansais sur un mouchoir. Ou alors c'était pas la peine que tu ailles embêter les dames !* En vieux connaisseur toujours en possession de ses moyens, l'épicier se levait, repoussait sa chaise pour créer de l'espace, refermait les pans de sa chemise, abordait poliment une partenaire imaginaire, s'excusait de son débraillé, prenait tendrement la main de la jeune fille, la guidait vers la piste, et, là, il sortait un pas de sa mémoire et dansait avec le passé. Le visage du vieux chabin rougissait, il s'essouflait, heurtait la chaise sans sentir la douleur du choc, niait l'existence de la chaise, ne voyait plus que la jeune fille, patientait le temps pour elle de se laisser aller contre lui, s'oubliait, oubliait tout, l'aimait déjà, attendant que le rythme change pour se rappeler que l'étudiant n'était pas venu pour le regarder danser ni l'entendre parler du passé, mais pour acheter des cigarettes. *Excuse-moi, l'étudiant, mais le dimanche matin j'aime bien me parler à moi-même, faire seul un petit tour d'horizon : un pas en avant, un pas en arrière, tu connais le dicton. Autrefois, le dimanche matin, comme y a jamais beaucoup de clients, ma femme restait avec moi et on parlait des belles années, du temps qu'elle était demoiselle. Mais l'année dernière on nous a cambriolés trois fois, elle a cru que c'était notre faute, et la voilà pentecôtiste. Alors, pour deviser, je m'arrange avec moi. Les cigarettes, une pochette ou au détail ?* L'étudiant voulait une pochette, pour ne pas être pris de court si le docteur décidait de prolonger la conversation. *Une pochette, ça vient tout de suite.* La musique tournait sur sa fin, et un monde s'écroulait sur le visage de l'épicier avec les dernières notes. *Nemours Jean-Baptiste, 1962.* Et l'animateur, inculte, *probablement un faux Port-au-Princien*, qui se trompait sur la date et comptait 1960. *Ils connaissent même pas leurs classiques, et ça joue à l'animateur. Bon, on change.* L'épicier tournait le bouton, repassait rapidement sur le pasteur baptiste, remontait le cadran, cherchait

31

la vie sur les ondes courtes, la vie d'hier, la seule qui compte, poussait, désespéré, vers la gauche du cadran, s'arrêtait aux extrêmes sur une autre ancienneté : *Jazz des jeunes, 1960, ça c'était une époque, un vrai big band avec des cuivres, et ça avait de la tenue, pantalon noir et veste blanche, liserés roses et souliers vernis.*

L'étudiant regardait le visage du vieux chabin, sa poitrine débraillée de noceur converti, son crâne chauve et ses mains graisseuses, en se demandant pourquoi le passé finissait toujours par devenir plus beau que le présent. Le passé trouve toujours moyen de tirer sa revanche. Personne sur cette terre ne peut avoir la force de subir deux défaites en même temps. Il est tellement facile de changer le passé. Comment se résigner à l'idée que du début à la fin tout, tout le temps, fut au pire ! Et qui pourrait reprocher à un vieux type en fin de parcours de s'accrocher par petites doses à des bonheurs-rétrospective ! Fou qui viendrait lui reprocher de mettre du rose à sa mémoire, de garder l'abondance en oubliant la pénurie, de choisir qu'hier il était très heureux. Car, aujourd'hui, ça va pas mieux. Et le malheur, tout de même, faut pas en faire une permanence !

Une pochette de Comme il faut mentholées. Tout en plongeant la main dans le grand bocal où étaient jetées pêle-mêle les pochettes de cigarettes, les Comme il faut régulières en rouge, les mentholées en vert, et quelques échantillons piqués de cigarettes étrangères que personne jamais n'achète, du tabac ayant mal vieilli destiné à la vue comme un vain faire-valoir, l'épicier, fidèle à lui-même, rappelle qu'autrefois les jeunes gens fumaient des Splendid sans filtre qui donnaient le hoquet aux débutants, et que cette mode des cigarettes mentholées est arrivée avec la télé *quand les jeunes se sont mis à imiter de faux chanteurs aux longs cheveux et aux allures efféminées. Une Splendid sans filtre, ça c'était du tabac ! Moi, j'ai abandonné. Ma femme, elle fait dans les pentecôtistes, et ça donnait trop la migraine d'entendre à chaque bouffée qu'après les affres du cancer je devrais brûler en enfer ! Ils disent que ça dans leurs sermons : tu brûleras en enfer. Parce que ci, parce que ça. Il faut croire que leur Dieu, comme il fait rien de positif, sa seule vraie joie consiste à nous passer tous par le feu !* L'épicier sort la bonne pochette du bocal et la tend à l'étudiant. L'étudiant tend la main pour prendre les cigarettes. Ils sont enfin dans le présent. Leurs mains se touchent presque quand le speaker annonce que le comité de mobilisation des étudiants vient juste de confirmer à la presse que la manifestation se déroulera comme prévu, malgré les menaces de répression et le rappel par les autorités que tout rassemblement susceptible de troubler la paix publique demeurait interdit. *La paix publique ! Laissez-moi rire ! Avec les cadavres qui courent les rues !* Cela, l'épicier l'a pensé, mais il s'est gardé de le dire. Ça, c'est l'affaire de l'étudiant. L'épicier ne dit rien des affaires du présent. Ce ne sont pas ses danses à lui. Depuis la disparition du Jazz des jeunes, sa bouche a fait la paix avec son deuil. De toutes les façons ce pays n'était plus le sien, le temps avait volé les clés de son royaume, il n'était pas d'humeur à prendre fait et cause et ne se mêlait plus de rien. La main toujours tendue, l'étudiant pense à autre chose. Il sait qu'il y a de fortes chances qu'ils se fassent massacrer. Le petit l'a prévenu que la police a reçu l'ordre de donner la charge et que les bandes de voyous appelées en soutien ont déjà touché une avance sur salaire. L'épicier voit dans les yeux de l'étudiant quelque chose qui ressemble à de l'inquiétude. Il a perdu l'habitude de lire dans les yeux des autres depuis que sa vie se résume à ouvrir la porte de l'épicerie le matin, à la refermer le soir. Il ne peut pas dire si c'est de l'inquiétude ou quelque chose de plus compliqué. Il n'aime pas les complications. Il n'aime que la danse. Et l'autre, qu'est-ce qu'il aime ? Pour l'instant ils sont face à face, le mouvement interrompu, chacun avec une main tendue. L'un pour donner les cigarettes, l'autre tendant son dernier billet de cinquante gourdes. Et l'épicier enfin revenu aux urgences du présent, faisant un effort surhumain pour s'intéresser à autre chose qu'aux tubes des années 1960, demande à l'étudiant *alors tu y vas ?* L'étudiant, un peu vexé, refusant d'être pitoyable aux yeux d'un vieux marchand d'épices que la mort avait oublié, répond pour le défier *et, vous, vous y allez ?* Puis l'étudiant se fâche contre lui-même, car vaine est la provocation. L'épicier n'est pas méchant. Il est ailleurs, c'est tout. Et chacun vit dans son ailleurs. Et tous deux constatent la vanité de leurs questions. Deux questions ne nécessitant pas de réponse. Tous les deux sachant à l'avance la part d'inévitable qui pèse sur leur vie, le surplace et la marche à suivre alimentant leurs destinées. Et l'un reste la main tendue avec la pochette de cigarettes, l'autre avec l'argent, figés comme une image ou des paralytiques, jusqu'au moment où, s'enfonçant dans son immobilisme l'épicier se retourne vers son seul lieu de vérité, son domaine naturel, son ennui et sa cause première, la dernière, celle à laquelle il s'est accroché faute de musique dansante à son goût, sa cage et son abri, pour garder le passé à portée de la main. Ses yeux font le tour des étagères et des quatre coins de la pièce pour contempler la marchandise : les boîtes de lait concentré ; les pâtes alimentaires, la qualité supérieure, plus rare, en haut, la qualité inférieure, à portée de tout le monde, en bas ; les conserves : les sardines et les petits pois ; les balais et la paille de fer dans un coin ; le gros baril d'huile végétale dans un autre coin, le mesureur sur le baril et sa femme qui entre par la porte du fond, très digne dans son obésité de bénévole, de messagère d'apocalypse si sûre d'elle-même dans son accoutrement de pensionnaire d'orphelinat, toute de bleu vêtue, bas bleus, robe bleue et chapeau bleu, le gros petit chaperon bleu n'ayant plus rien à voir avec les bals de salon, le premier baiser sur une place de l'ancien Port-au-Prince, le sourire bleu fade, sans chaleur, ne manquant que le ruban bleu pour être la plus grasse des enfants bleues ayant passé la cinquantaine, la bouche bleue, volubile comme les évangiles, solide comme la tour de garde, animée dans sa certitude généreuse d'un grand désir de transmission : *autrefois mon mari fumait*. Et l'épicier, ayant terminé son tour du domaine, reste avec sa main tendue, bloquée, hésitant sur le geste à faire. Et la main décide de décider. Comme une comédienne prenant en charge la mise en scène, jouant le rôle de l'ellipse, bouchant les trous, comblant seule la distance entre les personnages, la main a parlé pour la voix, résumant toute une vie d'un geste panoramique, en quatre mètres carrés de produits avariés et de musique rétro : ici s'achève ma république. Et sans plus commenter les bénéfices de l'inventaire, sans espérance de vivats, comédienne blasée mais sincère, la main, tendant toujours la pochette de cigarettes, refuse l'argent, modifie discrètement les termes de l'échange, ne veut pas que son geste ait une valeur d'échange, réclame pour une fois son droit à la gratuité, donne sa contribution à hauteur de cinquante gourdes : *aujourd'hui, c'est gratuit*. Et l'étudiant, comprenant enfin les mots que dit la main de l'épicier, prend la pochette de cigarettes et remet ses cinquante gourdes dans sa poche, dit *merci* avec la voix pleine d'émotion, regrette de ne pas connaître le prénom de l'épicier car – *Ernestine Saint-Hilaire, moi Noire, je te l'ai enseigné* – celui qui nous a aidés mérite d'être appelé par son nom. Il n'y a pas d'autre parole, rien que cette forme de partage entre le passé et le présent. Mais le gros ange en noir et bleu qui a suivi la scène de loin perd la moitié de son sourire. *Qu'est-ce qui te prend, Antoine, de distribuer la marchandise gratis ? C'est à chacun d'accepter Dieu pour son sauveur personnel et de faire avec ce qu'il a.* Mais la main de l'épicier n'écoute pas la femme. Libre, elle a déjà enfoncé la pochette de cigarettes dans la main de l'étudiant, refusé l'argent. Elle joue maintenant avec le bouton du transistor, cherche un air des années 1960, n'en trouve pas, cherche encore. Elle a fait ce qu'elle pouvait faire, il faut à présent qu'elle s'en retourne à sa légende. Le gros ange insiste, pleure sur le monde et le manque à gagner. D'un geste menaçant, la main le renvoie à son statut de caricature : *tais-toi, Simone, et écoute la musique*. Et l'étudiant en s'éloignant croit reconnaître un tube des années 1980. L'épicier était-il à court de mémoire pour chercher dans le passé proche ? Antoine, il s'appelle Antoine. La prochaine fois ils pourront se dire : bonjour l'étudiant, qui prend des risques inutiles dans cette ville qui n'a plus de sens ; bonjour monsieur Antoine, qui ne danse qu'avec le passé. Ils pourront se parler comme ça parce qu'il y a eu entre eux ce geste d'amitié. Mais en comptant ses vingt-quatre ans l'étudiant prend conscience qu'il est presque aussi vieux qu'Antoine. Son paradis aussi est un lieu de mémoire. Ah ! Ernestine Saint-Hilaire, où est passé ce temps d'enfance quand tu avais encore tes yeux ? L'odeur du basilic, fraîche et tendre comme une couleur préférée, et ta voix vaillante et légère chantant *feuilles, sauvez-nous la vie dans la misère que nous sommes ; feuilles, sauvez-nous la vie, le mystère qui lie la liane à la racine est la source de tout et toute vie vit dans la plante.* Ta voix. Et la voix d'un enfant de huit ans te demandant *est-ce que le pain pousse dans les fleurs ?* Et le petit, ton préféré, l'index plié sur sa gâchette imaginaire, les yeux en alerte dès le petit matin, pour épier le vol des ramiers. *Ernestine Saint-Hilaire, moi Noire, je vous le dis, mon fils sera un bon viseur.* Et l'oncle Calisthène, tout le monde l'appelait l'oncle vu qu'il n'avait pas de famille et s'était mis à la disposition de toute la marmaille en mal de tonton, de toutes les voisines en mal de compère, qui, d'avoir servi de guide aux missionnaires américains, traduisait tout machinalement. Sharp shooter, *ma cousine, ça se dit :* sharp shooter *!* Ah ! Ernestine Saint-Hilaire, où est passé ce temps d'enfance quand tu avais encore tes yeux ! Mais chaque jour l'arbre au bord du chemin perdait sa force d'arbre. L'arbre rapetissait, perdait ses branches, et les visiteurs ne prenaient plus le temps de le saluer. Aujourd'hui il n'en reste qu'une vieille peau de figuier toute sèche, une écorce battue par le vent de la sécheresse. Rappelle-toi ce jour de grande peur. Tu frappais le sol avec ta canne. Le bois mort de ta canne sondait le fond des choses, poussant à droite, piquant à gauche. Et tes yeux déjà remplis d'ombre aux trois quarts, versant déjà dans l'inutile, bons pour pleurer sans plus. Tes yeux désespérés. Et ta voix, pour la première fois tremblante, comme un mapou tombé attendant que les chèvres viennent lui manger ses glands, ta voix enrouée : *Ernestine Saint-Hilaire, moi Noire, je veux savoir où sont mes fils !* Et, dans le noir, tes mains ont tâtonné jusqu'à nos têtes, la mienne d'abord, puis celle du petit. Nous avions passé la journée à dialoguer avec les plantes, cherchant la fleur de l'argent parce que tu n'en avais plus beaucoup. Tu ne te plaignais pas, nous savions que tu ne devenais pas moins généreuse par tempérament mais que tu donnais moins par la force des choses. La pénurie te forçait la main. Nous étions sortis sous la pluie chercher la fleur de l'argent et la fleur de la lumière qui te rallumerait les yeux. La pluie ne cessait pas. Il pleuvait comme si quelqu'un là-haut n'avait rien d'autre à faire que verser de l'eau sur nos têtes. Et tu es partie nous chercher, avec ta canne et tes yeux morts. Le lendemain, tu nous as demandé de rassembler nos affaires, et l'oncle Calisthène nous a accompagnés à Port-au-Prince, jusqu'aux portes du pensionnat. *Ernestine Saint-Hilaire*, j'entends ta voix – *moi Noire* – mettant fin à ce temps d'enfance : *C'est à la ville, mes fils, que l'on cueille la fleur de l'argent.*

L'étudiant continuait son chemin tranquillement, les cigarettes dans sa poche. Il s'était arrêté devant le commerce d'une marchande des rues pour acheter une boîte d'allumettes. Rien ne pressait. Le rendez-vous n'était qu'à neuf heures. Il avait largement le temps de se rendre chez le docteur avant de redescendre dans le quartier des facultés pour rejoindre ses amis. Il remettrait au responsable de la trésorerie le dixième de son gain et offrirait des cigarettes à volonté aux camarades fumeurs comme lui. Ils n'étaient pas nombreux. Mais, des cigarettes, ceux qui fumaient n'en avaient jamais assez. Il ne leur dirait pas qu'elles étaient un cadeau d'un commerçant borné qui passait le gros de son temps à pleurer sur les années de gloire de l'ancien Port-au-Prince. A chaque phrase qu'on prononçait, un radical en mal de querelle pouvait trouver un problème théorique nécessitant un débat. S'il fallait enlever son bonjour aux gens qui peuvent vivre sans cause, on ne parlerait à personne. Lucien savait cela et aimait bien parler aux gens. Et un étudiant né d'une mère exilée de naissance dans un bourg du Plateau central – *Ernestine Saint-Hilaire, moi Noire, qui regarde le temps qui passe sans le voir* –, un étudiant en guerre malgré lui avec un frère qui se shoote au crack, au *thinner*, à la colle et à toutes les belles saloperies, les jeans, les lunettes noires, les mégamontres-bracelets, les ampoules colorées, les cartes téléphoniques et les photos de stars qu'il se procure avec son Glock, un étudiant avec une mère comme ça, un frère comme ça, un étudiant qui ne se connaissait pas très bien lui-même, avait droit à son jour de chance sous la forme d'une vingtaine de petits cylindres blancs avec une ligne verte et un arrière-goût de miel qu'il partagera – allez, les amis ! – avec des camarades aux chaussures usées comme les siennes, originaires comme lui de trous de coucous au bout du monde et pourtant si proches, à quelques kilomètres de poussière, des maigrelets comme lui, avec comme lui des restes de manières de paysan, qui se tiennent la main en traversant les rues folles du centre-ville, alors qu'*à Port-au-Prince les hommes ne font pas ça*, comme le dit l'épicier. Des camarades durs d'oreille sans le savoir, dyslexiques sans le savoir, parce que les déficiences et les malformations c'est le boulot des spécialistes. Et que veux-tu qu'un spécialiste aille foutre dans ton trou de paria, à détecter des maladies dont personne ne connaît le nom et dont de toute manière personne ne guérira parce que la souffrance coûte moins cher que la guérison. Les spécialistes ne poussent pas, en veux-tu en voilà, comme le cactus et l'anophèle qui piquent gratuitement les vivants dans ces putains de trous perdus ! Allez, fumons, mes camarades ! Nous serons des spécialistes ! Moi, je serai un spécialiste ! C'est Guillaume qui dit ça, un solitaire qui a confiance dans son étoile et travaille sans relâche pour décrocher une bourse. Et quand je reviendrai… Des spécialistes frappés d'atavisme rural, des chiens à moitié sauvages, à moitié savants, cherchant diplôme pour évasion, formation donnant sur la mer, comme le disait le prêtre qui enseignait l'espagnol au pensionnat. Un Breton poilu qui n'enseignait d'ailleurs pas que ça. Le petit qui n'appréciait ni les cours de langue (à part l'anglais, parce que l'anglais, ça court vite, à la vitesse du dollar) ni sa façon de le toucher, lui avait planté les dents dans le gras du bras. *Fais voir ton sang, mi padre ! Fais voir ton sang ! Ma queue, elle est pour Halle Berry, pas pour toi. Fais voir ton sang, et raconte-moi ce que tu es venu foutre ici. Y a pas de gosses dans ton pays ? Bien sûr qu'il y en a. Les gosses, c'est pas le plus difficile, même nous on est capables d'en faire !* Mais il existe des spécialistes pour demander : le curé, il t'a touché où ? N'aie pas peur, ce n'est pas ta faute. Le bon Dieu, il n'est pas content avec le curé qui fait peur aux enfants et salit sa réputation, mais le bon Dieu il n'est pas fâché contre toi. Il nous envoie prendre soin de toi. Ici les spécialistes et les détecteurs de mensonges, c'est les dents, et le reste suit. Allez, fumons mes camarades, nous, nous serons des spécialistes.

L'étudiant s'en voulait de se laisser aller à penser comme le petit. Le petit ne pensait pas. Il avait pourtant le mot juste, la débrouille et le coup de dents. Et les bonnes informations. Le petit savait qu'en ce dimanche matin, sous ce beau soleil de décembre, des étudiants allaient mourir. Il l'avait annoncé à son frère : *nous, les voyous, on sait des choses*. La veille, ses pieds sur les photos du mur, chatouillant les athlètes et les stars, son lecteur CD hurlant à plein volume qu'*in the rivers of Babylon* la beauté du monde se noyait, ses yeux hésitant entre l'ici et l'ailleurs, fixant en même temps plusieurs destinations, le petit avait crié : *nous, les voyous, on sait des choses, vous allez vous faire massacrer*. Il avait parlé exprès dans le bruit, sur un ton vague, comme si ce qu'il disait n'avait nulle importance, comme s'il parlait dans le vide sans attendre de réponse, mais assez fort pour que son frère puisse l'entendre, *et si tu n'es pas aussi bête que tu en as l'air à chercher tout le temps la vie dans tes livres, écoute ce que j'ai à te dire*. L'étudiant avait fermé le livre, attendant une explication, mais le petit prenait son temps, continuait de nager à contre-courant dans les rivières de Babylone pour faire durer le plaisir, et parce qu'on a beau manquer d'éducation académique on n'interrompt pas un chef-d'œuvre de Bob Marley pour faire la morale à un con. La chanson finie, le petit avait changé de posture, le buste droit, les fesses sur le lit, les pieds traînant sur le sol : *c'est pas mes affaires, mais vous allez vous faire massacrer. La police nous a contactés. Ils veulent pas faire les choses seuls. Y aura des gars de la cité Maria, du Bel Air, même du Kosovo*. Et ces gars-là, c'est pas des tendres. Et combien de temps croyez-vous tenir à ne partager que le risque ! Tu veux un joint ? Bien sûr que non.* Puis, finie la leçon, retour à Bob Marley, les pieds de nouveau sur le mur, tapant nerveusement sur les visages des stars, la main cherchant de temps en temps le réconfort du Glock sous l'oreiller, l'esprit s'envolant vers des lieux mouvants, bricolant des fragments de monde, le lecteur CD hurlant à plein volume en quête d'une *Redemption Song*.

L'étudiant reconnaissait une sagesse à la violence du petit. *Reconnais-le, Lucien. Même dans son délire, il lui arrive de voir du vrai.* Pour sceller une grande amitié, le risque ne suffit pas. Nul ne se contentant, pour se lier avec son prochain, de l'exposé des frustrations communes, du grattage jusqu'à la croûte de la même peau de chagrin : l'hypothétique *vinceremos* des vieilles causes pleurant leur retraite dans les bibliothèques des facultés. Le petit voyait vrai. Bientôt ils allaient se lasser. Pas tous. Mais ils étaient quelques camarades, et le nombre ne pouvait qu'augmenter, qui exprimaient déjà leur fatigue de se faire tabasser toutes les fins de semaine pour des formules

* Quartier de Port-au-Prince ainsi désigné par la population à cause de la violence qui y règne.

abstraites se desséchant tel un chewing-gum qu'on continue de mâcher au-delà de sa saveur, pour des mots sonnant creux dans un ventre aux aguets, soliloquant avec sa faim dans cette ville pourrie, cette vraie fausse ville où seuls les riches peuvent se payer d'avoir vingt ans. *Reconnais-le, Lucien, même dans son délire le petit parle vrai.* N'es-tu pas fatigué des fêtes tristes de tes copains, des leçons particulières, des cours du soir que tu donnes quand tu vas jouer au remplaçant dans des écoles aux bancs cassés, avec parfois pour éclairage la sale lumière du soir, quand la nuit n'est pas tout à fait tombée et ne cache pas la barrière d'ordures qu'il te faudra enjamber à l'heure du renvoi, quand l'opacité ne vient pas encore protéger ton regard de la reproduction de ta propre image sur le visage de tes élèves, maigres comme toi, trop vieux comme toi, comptant, moqueurs, un, deux, trois, cela fait trois jours qu'il porte la même chemise ! *Etes-vous marié, monsieur ? Et comment veux-tu qu'un homme qui porte la même chemise trois jours de suite et sue la sueur de tous ses pores à force de promener sa sacoche aux quatre coins de la ville possède une femme à lui !* Et Alfred, plus direct, *monsieur, combien mon père vous paie ? Où habitez-vous ? Vous arrive-t-il de faire la fête ?* Alfred aussi avait raison. Il ne savait pas faire la fête. Il avait oublié les danses de l'enfance sans en apprendre de nouvelles. Ah, Ernestine Saint-Hilaire – *moi Noire, qui ai élevé mes fils dans la droiture !* –, ton rire sentait bon comme l'odeur de la terre après la pluie, ton rire chantait comme la bonté. Quel poids de cinquante tonnes est tombé sur le rire ? Quel cercueil-ma-douleur promenons-nous dans la ville ?

A huit heures quinze l'étudiant a actionné la sonnerie du portail de la villa du docteur. Les chiens ont répondu les premiers. Puis, du balcon, la femme du docteur a demandé à l'agent de sécurité ce qu'il attendait pour faire taire les bêtes et ouvrir le portail. *Mais, bon Dieu, qui peut sonner à cette heure un dimanche matin ?* L'étudiant a rajusté son col et vérifié que les pans de sa chemise tenaient bien dans son pantalon. Les chaussures ont gardé un peu de la poussière de la route, mais il juge la chose acceptable pour quelqu'un venu à pied. *Mais qui diable peut sonner à cette heure un dimanche matin et, Eliphète, allez-vous enfin ouvrir ce portail, oui ou merde ?* A huit heures seize, Eliphète a ouvert le portail. L'étudiant a d'abord vu les chiens repliés dans leur cage sous la menace du gardien. Eliphète, sans visage. Une carrure. Puis la femme du docteur, sur le balcon, encore belle, dans sa sortie de lit de femme du monde, sous la lumière du gentil soleil de décembre, malgré sa mauvaise humeur matinale, sa grogne naturelle d'épouse probablement adultère, d'esprit, et puis de corps, avec un amant exactement semblable à son mari, mais qui est le mari d'une autre femme, probablement adultère elle aussi. Entre huit heures seize et huit heures dix-sept, pendant quelques secondes l'étudiant a regardé la femme du docteur, encore belle, dans sa sortie de lit de femme du monde, dans sa nudité perceptible sous son arrogance de bourgeoise contrariée, et elle l'a regardé elle aussi. Et sous le gentil soleil de décembre, comme dans un poème de Baudelaire, il s'est passé quelque chose d'inattendu, la femme du docteur a regardé l'étudiant qui la regardait et a trouvé beau ce regard. A huit heures dix-sept, exactement, le gardien a remis les choses à leur place en introduisant l'étudiant dans le petit salon, sans lui offrir une chaise, se contentant de l'informer à phrases laconiques, dépourvues de civilité, des phrases d'automate en service commandé : *Le docteur vient à peine de se lever. Patientez. Le temps que ça prendra. Patientez.* A huit heures dix-huit, sentant qu'on voulait les garder en dehors de la vie de la maison, les chiens, refusant le mépris et l'oubli, ont recommencé à aboyer, réclamant ainsi le droit de participer, de dire leur mot. Et cette fois, c'est la voix du docteur qui ordonne à Eliphète d'obtenir le silence des bêtes. Seul dans le petit salon, l'étudiant a allumé une cigarette pour tuer le temps, tandis que le gardien, criant plus fort que les chiens, tente vainement de les calmer. A huit heures vingt, la femme du docteur est entrée dans le petit salon, encore belle, dans une robe droite, une robe simple qu'elle a dû passer à la hâte, avec des fleurs, comme une robe de jeune fille, le visage sans fard, comme un visage de jeune fille simple, le sourire timide et la main tendue, comme un vrai sourire de jeune fille. L'étudiant sent qu'elle a fait vite, comme une vraie jeune fille qui va à un rendez-vous. Et, en s'excusant pour la cigarette, écrasant maladroitement la cigarette dans le cendrier, se tenant droit comme une recrue, il a serré la main de la femme du docteur avec une grande envie de l'appeler par son prénom, d'être ailleurs avec elle, comme dans les livres de jeunesse on sort en amoureux avec une vraie jeune fille. Il a jugé la main moins froide que de coutume, plus chaude que nécessaire pour une main de bourgeoise. Et il se demande si elle joue la simplicité ou s'il lui arrive vraiment quelquefois d'être simple et avenante comme une vraie jeune fille. Les chiens continuent à aboyer. La femme du docteur ouvre la bouche, comme si elle allait de nouveau crier à Eliphète de faire taire ces bêtes d'une manière ou d'une autre, mais elle se ravise et dit à l'étudiant de s'asseoir, *mon mari va descendre.* Le mot sonne mal dans sa bouche. Elle regrette de l'avoir utilisé, il la vieillit, il enlève quelque chose à la fraîcheur de la jeune fille et vient casser l'ambiance. Et à huit heures vingt-deux, l'étudiant, un peu gêné, s'assied dans le fauteuil style jardin tropical et bredouille des remerciements, comme un vrai jeune homme devant une vraie jeune fille, s'attendant que l'épouse du docteur s'informe des progrès d'Alfred en français, et s'apprêtant à lui donner des réponses vagues mais savantes. Mais, avec une voix de vraie jeune fille inquiète d'une réalité qui la dépasse, avec la voix de la jeune fille qu'elle avait été quand elle était une personne et pas une belle machine à consommer, l'épouse du docteur lui demande *est-ce que vous y allez, et n'est-ce pas trop risqué ?* Et l'étudiant trouve qu'il y a dans la voix un accent de sincérité. Mais une petite voix à l'intérieur de lui, cynique comme la lucidité, lui parle comme à un enfant qu'on veut protéger du danger : méfie-toi, tu as envie qu'elle soit sincère. Et à huit heures vingt-trois, l'étudiant doit admettre le fait qu'il désire cette femme, pas la femme, la jeune fille que la femme a été. Et la petite voix cachée dans sa tête, cynique comme la lucidité, peut attendre le moment où le docteur descendra dans le petit salon. Alors, quand il n'y aura plus de magie, elle pourra, réaliste, reprendre le dessus sur le désir et l'illusion. A huit heures vingt-trois, le docteur entre dans le petit salon, embrasse sa femme sur la joue, et la femme subitement devient une statue, laissant suspendue la phrase généreuse qu'elle a sur les lèvres, celle que l'étudiant attend et qui ne viendra pas, parce que, soudain, il fait très froid dans le petit salon. La phrase est simple, pourtant. Les gens la répètent souvent à des personnes qui ne sont pas vraiment leurs intimes, mais qu'au bout du compte ils aiment bien : *Faites attention à vous*. Quand l'interlocuteur compte beaucoup pour eux, ils prennent un raccourci : *Fais attention à toi*. La voix de la jeune fille s'arrête, timide, à la porte du tutoiement. Et la petite voix cynique comme la lucidité revient à la charge avec ses vérités sociologiques, et elle explique à l'étudiant : depuis le temps qu'ils font chambre à part, il doit savoir qu'elle cultive les amants, mais pas toi, ça, il ne comprendrait pas. Et ce matin-là, le docteur choisit de ne pas faire durer la conversation, il ne pose pas à l'étudiant la traditionnelle question : *en chèque ou en espèces ?* Pressé, il affirme avoir appris de bonne source que d'ici quelques heures, peut-être quelques minutes, les rues ne seront plus sûres. Il doit quand même sortir. Il prend son chéquier, il signe le chèque en grognant qu'il a eu une opération difficile la veille, et qu'il doit tout de suite se rendre à l'hôpital pour s'occuper de son patient. A huit heures vingt-cinq, le docteur laisse l'étudiant dans le petit salon, et l'étudiant veut partir lui aussi, mais la femme du docteur, redevenant la jeune fille qu'elle avait été, lui demande de rester un moment pour lui dire comment les choses se passent avec Alfred : *les enfants uniques, c'est toujours difficile*. Et elle appelle Marguerite. Pour ne pas laisser la jeune fille qu'elle a été seule avec l'étudiant. *Marguerite, apportez-nous du café*. Et tandis qu'Eliphète ouvre le portail pour laisser sortir la voiture du docteur sous les aboiements renouvelés des chiens, Marguerite entre avec le café, saluant l'étudiant d'un bonjour sans tendresse. *Toi, mon vieux, tu es plus près de moi que d'elle*. Et Marguerite veut servir le café, parce que c'est sa fonction de servir, et elle ne veut pas se faire réprimander par la patronne. Les riches se paient parfois la fantaisie d'être polis avec les pauvres. Alors, *je Vous sers le café, même si, Toi, mon vieux, c'est comme si on me demandait de jouer à la bonne avec mon frère*. Mais la femme du docteur n'est pas encore revenue à son rôle de patronne. La jeune fille en elle dit : *non, Marguerite, ce n'est pas la peine*. Et l'étudiant se sent reconnaissant envers la femme du docteur, parce que Marguerite ressemble comme deux gouttes d'eau aux filles de son enfance. – *Ah ! Ernestine Saint-Hilaire, heureusement tu n'as pas eu de fille !* – A huit heures vingt-sept, Marguerite est sortie du petit salon après avoir posé la cafetière, les tasses et le sucrier sur la table style jardin tropical entre les fauteuils du même style, et la femme du docteur a demandé à l'étudiant combien de sucres il voulait, et l'étudiant n'en voulait qu'un mais il a regretté de n'avoir pas dit trois tellement le geste de la main qui tournait la cuillère était beau et simple. Il trouve que la main est belle, qu'elle ne tourne pas la cuillère comme une femme qui a appris à ne plus jouer avec sa vie que le jeu triste des apparences tournerait sa cuillère dans une soirée mondaine. Il trouve la main belle comme le reste, la nudité qu'il a devinée sous la sortie de lit et qui réapparaît sous la robe, les mollets délicats, un peu trop peut-être, parce que les pieds n'ont pas suffisamment marché dans leur enfance, la voix aussi qui a changé maintenant qu'elle ne crie pas après Eliphète et s'informe, avec une simplicité voisine de la douceur, des risques qu'il prend à descendre dans la rue. A huit heures trente la petite voix cynique comme la lucidité a frappé un grand coup dans la tête de l'étudiant, l'accusant de prendre du retard sur ses obligations, à bavarder avec cette bourgeoise *qui flirte avec toi parce que c'est dimanche et qu'elle n'a rendez-vous avec son amant que dans l'après-midi, mais te mêle pas de croire que c'est une vraie conversation, tu ne la toucheras jamais, cette femme. Rappelle-toi, tous ces rêves que tu as bâtis, ta noyade avec l'Etrangère.* La voix insiste et impose d'autres images. C'est la guerre ici, et toi tu rêves comme un débile au milieu du champ de bataille. La voix parle et transmet des images de guerre. Et à huit heures trente et une, l'étudiant voit apparaître le visage du petit. Le petit qui est rentré une fois à l'aube en se vantant qu'avec sa bande ils s'étaient fait une bourgeoise. Traqué par les images de guerre, l'étudiant imagine le petit et sa bande entrant dans une maison comme celle-ci, avec des couteaux pour égorger les chiens et le Glock pour foutre la frousse à Eliphète qui n'est pas payé pour mourir. Il les voit forcer la porte du petit salon, la plus facile à démonter, monter l'escalier, avec pour eux la puissance du nombre et l'effet de surprise, entrer dans la chambre d'Alfred, jugeant le garçon trop gros, trop bête pour son âge, une grosse patate trop douce sans autres moyens de défense que ses gadgets électroniques, ses héros de bande dessinée. Alfred qui a peur et crie sous les coups, avant les coups, comme le fils de leur voisine. Et le docteur réveillé par les cris ne sachant que faire, ses mains de magicien transpirant, la sueur de la peur coulant sur son visage, sur son torse. Le docteur, pour la première fois pas égal à lui-même, cherchant une solution, voulant négocier, croyant pouvoir négocier parce que vivant dans un monde où tout se négocie, ne réalisant pas que c'est un autre monde qui vient d'entrer chez lui. Le docteur criant de ne pas nous faire de mal, à moi, à mon fils et à ma femme, même si entre elle et moi rien n'existe que des conventions. Et la bande rétive à toute psychologie bourgeoise, entrant par effraction dans ce monde bien rangé, avec ses conventions à elle, ses idées à elle sur l'amour, le bonheur et la propriété, enfermant le docteur dans sa chambre après l'avoir ligoté, le piétinant, cherchant son portefeuille, le trouvant, lui demandant *où est le coffre ?* Et le docteur indiquant l'emplacement dudit coffre et la combinaison de ce dernier, croyant encore que l'argent achète tout et qu'ils ne veulent que des billets et des objets de valeur comme sa montre et les bijoux de sa femme. Mais eux veulent plus que les bijoux, ils veulent tout, ils ne sont pas venus acheter, ils sont venus prendre et détruire, les bijoux par exemple, ils en jettent un paquet dans les W.-C., ils cherchent la femme qui les a portés, la trouvent sous le lit, dans la chambre qui donne sur le balcon, dans sa chambre à elle, parce qu'il y a assez de chambres dans cette maison pour que chacun en ait même deux à lui tout seul, ils demandent à la femme de leur dire combien de pièces compte la maison, elle se trompe dans le compte, ils exigent qu'elle recommence, qu'elle cesse de bafouiller, l'avertissent qu'ils ne vont pas la tuer, seulement lui faire l'amour, elle a peur, ils lui demandent ce qu'elle préfère, qu'ils la violent ou qu'ils la tuent, lui rappellent que s'ils le décident ils peuvent aussi bien faire les deux, elle a peur, ils lui disent de faire vite, qu'ils attendent une réponse et n'ont pas toute la nuit, elle murmure quelque chose, ils n'ont pas entendu mais ils savent d'expérience que dans cette situation il n'y a qu'une seule réponse, ils pensent qu'elle a fait le bon choix et saluent son intelligence, font semblant de l'applaudir, l'attirent vers eux chacun son tour, jouent avec sa peur, font des passes courtes avec son corps, la poussent à droite, vers l'un, à gauche, vers l'autre, fâchés qu'elle ne soit pas vraiment consentante, qu'elle fasse l'idiote alors que sa cause est entendue, alors que rien ne peut la protéger contre le plaisir qu'ils attendent d'elle, alors qu'ils lui ont gentiment offert le choix entre la vie et la mort et qu'elle a donné sa parole. Et l'étudiant voit leurs visages, celui du petit surtout, ce visage qu'il a vu se transformer au fil des ans. Et tandis qu'ils commencent à déshabiller la femme, il se dit que ce pouvait être celle-là même qui est assise devant lui et le regarde avec un sourire de jeune fille, celle-là même avec laquelle il s'est laissé aller jusqu'à lui avouer, comme on se confie à une amie, qu'il a peur mais qu'il faut quand même se battre pour changer les choses, que les riches aussi doivent participer parce qu'il y a trop d'injustice dans ce pays, et l'injustice ça rend méchant. Celle à laquelle il a dit tout cela dans ce rêve qu'il n'avait pas prévu – parce qu'il ignorait que même la bourgeoise la plus froide, la plus désobligeante des Barbie tropicales, pouvait, un jour sur cent, un dimanche matin de décembre, avoir une allure de jeune fille simple. Dans ce rêve niais comme l'eau de rose, il souhaite entrer dans la chambre avec elle. Elle, le regardant, avec son visage de jeune fille simple. Lui, osant la toucher tendrement. Un garçon, une fille, et rien de plus, sans pays ni frontière, sans ces putains de tiroirs et de territoires qui séparent et identifient, sans autres projets ni exigences qu'un petit moment de tendresse, une douceur hors contexte, pas dans cette chambre là-haut, cette chambre trop sociale, trop prévisible avec son lit et ses meubles, une moitié en rotin pour faire léger, l'autre en bois précieux pour faire riche, maquillée comme il faut par un spécialiste de la décoration intérieure. Pas dans la sienne non plus avec le petit à côté qui suce son pouce, son Glock sous l'oreiller, et les voix des fillettes qui crient en frappant le garçon, et la voix de la mère qui tape sur les trois. Dans une chambre qui donne sur la mer, comme quand il rêve de l'Etrangère. *Ah ! Ernestine Saint-Hilaire, comment une femme des terres de l'intérieur peut-elle avoir un fils qui n'aime que la mer ?* Une chambre d'eau sans références, douce et salée comme un baiser sur les lèvres quand il se change en baiser mouillé, une chambre d'eau, fraîche et profonde, légère, à s'y mouvoir éternellement, à n'avoir plus besoin de rien sauf de faire des confidences, même quand on ne se reverra jamais plus comme ça, même quand demain tu redeviendras la bourgeoise qui aboie après l'agent de sécurité qui, lui, aboie après les chiens, *moi j'aimerais flotter ma vie, n'habiter que le fil de l'eau.* Mais toute chose a une fin, et à huit heures trente-cinq l'étudiant s'est levé, il a tendu la main à la femme du docteur, pour lui dire au revoir dans les formes. Elle a la main froide, mais la voix l'est moins quand elle dit : *bonne chance*, et les yeux sont tristes et remplis de contrastes, comme lorsqu'une jeune fille veut garder ses secrets sans y parvenir vraiment. A huit heures trente-six, l'agent de sécurité a fermé le portail, et les chiens exilés dans leur cage ont recommencé à aboyer, et l'étudiant a entendu la femme du docteur qui parlait de son autre voix, *Eliphète, tonnerre, n'êtes-vous donc pas capable de contrôler ces bêtes ?*

En sortant de chez le docteur l'étudiant s'est dit qu'il préférait les rues aux maisons. Il aime la rue parce qu'il a toujours vécu dans des chambres trop petites, même dans le Plateau central, quand Ernestine veillait sur eux avec ses psaumes et ses principes. La chambre de leur enfance sentait l'ail et le basilic, le baume contre la grippe et la malédiction. Puis étaient venus le dortoir du cours primaire et les petits logements au temps du secondaire. Et enfin cette chambre au haut de la colline, la part du petit payée avec l'argent de la récolte, les billets froissés d'Ernestine, sa part à lui payée avec ses revenus à lui. Quand on pouvait encore parler de récolte. Le petit s'en foutait et voulait faire la fête. *Toi, tu ne sais pas faire la fête !* C'est vrai. Il ne sait pas faire la fête. Avec ses amis, il n'est même pas sûr de savoir ce que c'est qu'une fête. La dernière a tourné à la catastrophe. Avec les amis proches : Ayissa, Paulémon, Estimable. Le prof de philo les avait invités chez lui, pour boire un coup et discuter, après l'exposé collectif qu'ils avaient présenté sur l'état de la pensée républicaine à l'époque du centenaire. Pas vraiment une fête. Le droit au coup de gueule, mais personne n'en usait, sauf le prof de philo qui aimait bien parler et s'écouter parler. Le saint-louisien se trouvait là par hasard. Il était venu emprunter un livre, le prof l'avait invité à rester. Tout le monde l'appelait le saint-louisien, car tout en lui portait la marque des frères de l'instruction chrétienne. La distance. La raideur. L'amour de l'ordre. Estimable regardait le saint-louisien. Paulémon regardait Ayissa, et Ayissa aussi regardait Ayissa. Et le prof parlait pour tout le monde. Pas vraiment une fête. Trop de pensées et d'arrière-pensées. Le saint-louisien se sentait de moins en moins à son aise sous le regard d'Estimable. *On dirait qu'il étudie mon visage. Que me veut-il ? On dirait que maintenant il fouille dans ma braguette.* Estimable fixait en effet la braguette. *Qu'y a-t-il en dessous ? Mis à part ton orgueil de macho catholique, ta vanité d'enfant de curé ! C'est ta première fois, à te faire reluquer par un gars qui s'appelle Estimable. Oui, je m'appelle Estimable Estimé, dans n'importe quel ordre, et je te mettrais bien quelque chose quelque part.* Et le saint-louisien de plus en plus gêné, parce qu'il croyait l'homosexualité un privilège de riche, n'osant pas encore se fâcher ni se décider à partir. Pas vraiment une fête. Trop de pensées et d'arrière-pensées. Ayissa voulait danser. Mais les classiques du prof de philo ça ne se danse pas, ça s'écoute. Ça se discute. Ça tue les dieux, les danses mondaines. Ça anarchise. Mais Ayissa veut danser. C'est quand même samedi. Elle entraîne Paulémon, lui passe les bras autour du cou. Ayissa et Paulémon vivent ensemble. Presque. C'est acquis qu'ils vont vivre ensemble. Toute la faculté le sait. Ayissa est jolie. Et Paulémon aime qu'elle soit belle. Une belle femme, c'est une promotion. Ayissa aussi est amoureuse de sa beauté. A cette première arme, elle ajoute la modernité. Ayissa est jolie et veut être dans le vent. Elle tend la main à Paulémon, l'entraîne, lui passe les bras autour du cou, ils s'enlacent en un sacrilège et dansent sur la tze nana. Ayissa aurait préféré un yanvalou, un mélange compas et vaudou, une aubaine pour les hanches. Car c'est une chose d'être intello par nécessité historique, mais le corps a ses exigences, son rythme naturel. Paulémon soutient maladroitement ce corps qui ondule contre le sien, sent son corps à lui qui se noie, ses pieds qui voudraient le conduire à sa place sur le parquet, vers la tranquillité de sa bière. Il n'a pas l'habitude de boire et il en est à sa troisième bière. Et ça commence à tourner dans sa tête. Il n'a pas l'habitude de danser et ça commence à faire ridicule, leurs corps qui tournoient, et l'autre qui n'en finit pas avec sa tze nana. Et Ayssa danse. Elle danse ses frustrations, son vouloir vivre. Elle danse avec sa couverture. Elle a le consentement de Paulémon. Elle n'est pas née riche et une femme qui n'est pas née riche a besoin d'une couverture, un petit ami officiel, libéral et compréhensif, pour danser comme on fait l'amour. Si elle n'avait pas Paulémon, même les radicaux la traiteraient de sale pute. Elle danse avec le lauréat. Paulémon est tellement brillant. Les gens disent autour d'eux que c'est un couple original : ils vivent comme dans les livres. Elle danse, et il la pense. Elle fait aussi autre chose, mais après tout c'est leur affaire. Et Paulémon laisse faire. Il ne peut pas la perdre. Il ne doit pas la perdre. Ils sont pauvres mais branchés. Ils vont se distinguer par leur modernité. Et, mon Dieu, qu'elle est belle ! *C'est comme un ange qu'aurait pas d'ailes, la tze nana...* Elle se serre contre lui, l'abandonne, va vers le prof de philo. Qu'elle est belle ! *C'est un jouet au bout d'une ficelle, la tze nana...* Et c'est le prof maintenant qui danse sur

Ferré. Mais le prof est un connaisseur. Il va chercher sur une étagère un yanvalou caché dans une pochette postmoderne. En cette année du bicentenaire il danse et il oublie ce que penser veut dire, il oublie d'enseigner de penser l'impensé. Il touche à l'essentiel, un moment de bonheur. Il chantonne, *c'est dans la voix et dans le geste...* Il sait d'instinct qu'en cette saison il y a rareté de bonheur. Deux cents ans de rareté. Sur la gueule du saint-louisien qui se dit qu'il n'a pas fait toutes ses études à l'institution Saint-Louis-de-Gonzague des frères de l'instruction chrétienne pour se faire reluquer comme une fille des rues par un paysan perverti. Sur la gueule d'Estimé – patronyme : Estimable – qui voudrait bien changer avec le saint-louisien. Estimé Estimable, avec un nom pareil on a mal à l'état civil ! Sur la gueule de Paulémon qui se tient le ventre et vomit parce que c'est comme si Ayissa était en train de faire l'amour avec le prof de philo, debout, comme si elle l'avait déjà fait, comme si elle le fera encore et encore et encore, et lui, Paulémon, ne peut que faire semblant d'accepter. Quand un couple est pauvre et qu'il veut s'évader hors de la prison des sectes il faut qu'il soit moderne. La rareté de bonheur s'étend dans toute la salle, malgré l'effort de la musique, la rareté de bonheur s'étend dans toute la pièce. Elle recouvre les livres, les disques, les visages. L'impasse et la quête. Partout. Sur le beau visage d'Ayissa qui s'arrête de danser, de faire l'amour debout avec le prof, qui s'excuse auprès du prof parce que Paulémon n'en a toujours pas fini de vomir sur les livres et les pochettes de disques. Et toi aussi, Lucien, qui ne sais pas que dire, qui as envie d'être ailleurs, qui n'aimes que la mer, Ernestine et l'Etrangère. Toi aussi, comme eux tous, dans la quête et l'impasse.

Occupé à remplir le vide. A faire avec tout et rien. Toi qui voudrais en rire, faute de mieux. Mais quelle malédiction, Ernestine Saint-Hilaire, *moi Noire et mal voyante*, est tombée sur le rire ! On ne rit plus ici. Mis à part le petit qui rit d'un rire sauvage. Un rire dément de conquérant qui se passe d'argumentaire. Trois montres, deux portefeuilles. Ah ! Ah ! Deux cartes de crédit, un téléphone portable. Ah ! Ah ! Ernestine Saint-Hilaire – *moi Noire, qui ai sermenté que l'orage ne tombera pas sur mes deux fils !* –, le petit rit tout seul. D'un rire qui bave, qui écume ! *Hier soir les gars de la cité Carton se sont fait une bourgeoise. Ils ont repéré la voiture sur Delmas, ils ont botté le cul au chauffeur et l'ont laissé partir annoncer la nouvelle au mari. Ils ont gardé la voiture et la femme. Ah ! Ah ! La voiture, ils l'ont déjà vendue et elle court sur la route de Santo Domingo. Ah ! Ah ! La bourgeoise, si son homme tient à elle, il faudra qu'il la leur rachète, de préférence avant qu'ils ne lui mettent les doigts sous sa petite culotte. Ah ! Ah ! A la cité Carton, ce n'est pas tous les soirs qu'on se paie une bourgeoise !* Ah, Ernestine Saint-Hilaire – *moi Noire, toute aveugle que je suis, je ne mourrai pas sans voir mon fils !* –, le petit ne reviendra pas. Le petit rit rouge comme le sang. Tu ne l'entendras jamais plus rire du rire café clair de l'enfance quand le pigeon a fait caca sur le chapeau de l'oncle Calisthène qui en oublie de prononcer Djiiizzus en forçant sur l'accent des missionnaires américains et secoue son chapeau en traitant l'oiseau de chien fou et de cochon créole dans la langue du Plateau central. Tu ne l'entendras plus rire parce qu'il y a eu Bouqui et Malice et les autres, et Bouquinet et Bouquinette, toutes les familles nombreuses qui chantaient dans les contes et plantaient par-ci un petit pied de laurier chargé de fleurs, grimpaient par-là un oranger magique dont la cime touchait le ciel, couchaient le soleil en bonne place dans le lit des rivières, le réveillaient au matin avec des notes de rosée, s'accrochaient à l'idée que derrière les montagnes vivaient d'autres montagnes, prenaient des bains de lune et de feuilles pour retarder l'inévitable : la sécheresse, l'indigence et les épidémies. Ah ! Ernestine Saint-Hilaire – *moi Noire, qui ai collecté les légendes pour faire une enfance à mes fils !* –, le petit n'est plus le petit. La dernière fois que je l'ai appelé ainsi, il est descendu de son lit et il a menacé de me foutre son poing sur la gueule. Je l'ai appelé par son prénom, pour faire la paix. Ezéchiel. Celui que tu lui as donné. *Ernestine Saint-Hilaire, moi Noire, je te nomme Ezéchiel, car l'enfant qui est né sous le signe du prophète portera le nom du prophète, et ce nom le protégera !* Mais il m'a mis son poing sur la gueule. Une belle gauche, sans avertissement. Désormais il faudra l'appeler Little Joe ou Simbad comme les gars de sa bande. Une vraie bande, celle-là. Et il a voulu me frapper une deuxième fois. Nous nous sommes battus. J'ai tenté de lui faire le saut du cabri. Comme dans les jeux de notre enfance, quand il était vraiment petit. Je lui mettais le dos par terre, il s'avouait vaincu, je l'aidais à se relever, et toi tu nous grondais d'avoir les genoux écorchés et de la poussière dans les yeux. Mais Little Joe il a appris tous les trucs que l'on peut apprendre dans les bas-fonds de Port-au-Prince. J'ai senti ses bras autour de mon cou. L'air sortait de mes poumons. Puis la chute, et mon visage heurtant le sol, le goût de la terre dans ma bouche. Et en descendant la colline pour m'acheter des citrons verts et trois cigarettes mentholées sous le regard de nos voisins : la mère, les deux filles et le petit garçon qui avaient cessé de se chamailler pour assister à la bagarre, je l'ai entendu qui riait. Victoire ! Ah ! Ah !

A neuf heures moins le quart, l'étudiant rejoint le petit groupe de braves qui se sont donné rendez-vous devant l'Ecole des arts. Paulémon et Ayissa se tiennent par la main. Estimable ne tient la main à personne. Tous ont respecté la consigne : la chemise ou le corsage dans le pantalon. Pour montrer qu'ils ne portent pas d'armes. A neuf heures, ils sont à peu près une dizaine et se dirigent vers le point de ralliement de tous les groupes. L'étudiant ne connaît pas tous ses compagnons de marche. Il n'a jamais vu certains d'entre eux auparavant. Avec d'autres il n'a échangé jusque-là que de vagues saluts, des bonjours sans importance. Sur la route, ils discutent des slogans, des mots d'ordre, du parcours. Les fidèles revenant du service du dimanche les évitent, accélérant ou ralentissant le rythme de leur marche, brandissant leur bible comme une preuve d'innocence pour se distinguer de leur groupe. Les mères ont serré fort les mains de leurs enfants, comme pour ne pas les perdre. Les commentaires parviennent à l'étudiant. Fatalistes. Accusateurs. *Pourquoi ne laissent-ils pas les choses comme elles sont ? Rien ne changera jamais ici. Pourquoi s'en prennent-ils à l'Etat ? Tout le pays va en souffrir.* L'étudiant n'écoute pas vraiment. Derrière les voix, il entend surtout la peur. Ses camarades non plus n'écoutent pas. Ils savent qu'ils ont raison. Que la fatalité est un luxe qu'ils ne peuvent plus se payer. Que leur humanité passe par cette prise de risque. Ils savent qu'il n'y a pas moyen de savoir ce qu'il y a au bout de la marche, mais qu'il leur faudra désormais marcher. Ensemble, de préférence. Du moins, ils le croient. *Ernestine Saint-Hilaire, moi Noire, je vous le dis, vous êtes partis à Port-au-Prince, mais ne vous mêlez pas des querelles de la ville !* Ernestine Saint-Hilaire, je ne sais pas pourquoi je marche. Même quand je crois le savoir, je ne le sais pas vraiment. Mais je sais qu'il me faut lutter contre l'immobile en moi. Marcher. Pour me réconcilier avec le mouvement.

A neuf heures, un autre groupe se joint à eux. Ils se sentent réconfortés et continuent leur marche ensemble. Des excités veulent commencer à lancer des slogans, mais la plupart jugent qu'il est trop tôt, qu'ils ne sont pas encore assez nombreux, qu'il vaut mieux attendre d'avoir rejoint tous les autres, pour constituer une vraie foule. Des journalistes étrangers descendent d'une voiture de location et se dispersent, chacun de son côté, avec leurs appareils, les uns cherchant une place pour faire des photos, les autres emboîtant le pas aux manifestants. Une femme s'est hissée sur le toit d'une maison de commerce et prend le petit groupe dans son objectif. Le visage caché par la caméra, le corps à peine visible derrière les banderoles publicitaires. La rue a un toit de banderoles de dimensions inégales, toutes lisibles en même temps, partiellement. Le toit de la ville, comme son cœur, joue à cache-cache avec les mots. Une banderole en cache une autre, n'en laisse voir qu'un petit bout. Un faux ciel de peintures, de discours fragmentés, suspendu par des fils accrochés aux pylônes de chaque côté de la rue. Une rue bariolée d'écritures qui passent par-dessus la tête. L'étudiant se souvient que, le petit et lui, à leur arrivée dans la ville, quand ils ne connaissaient encore personne, ils flânaient pour tuer le temps. Pris d'un instinct pédagogique, l'étudiant encourageait le petit à déchiffrer les inscriptions sur les enseignes et les banderoles, pour l'habituer à la lecture. Le petit avait joué le jeu les premières semaines, puis il s'était lassé de lever la tête au risque de trébucher sur une cannette ou une pierre, et il avait baissé les yeux pour mesurer le cours des choses à hauteur d'enfant-homme. Le nombre de banderoles augmentait à un rythme qu'aucun gamin ne pouvait suivre. Il y avait chaque jour un colloque de plus sur la pauvreté, organisé par des experts étrangers. Il y avait chaque jour un congrès de plus entre gens convaincus que Jésus reviendrait vêtu comme un voleur et qu'il convenait de veiller pour ne pas être pris par surprise le jour de son retour. Chaque jour, une bonne nouvelle qui restait suspendue, sans jamais retomber. Le petit s'était lassé de ce flot de paroles qui n'avaient pas les pieds sur terre. L'étudiant les lisait encore. Pour tuer le temps. Et parce qu'il préférait regarder en haut qu'en bas, même si au fond c'est la même chose. Les faux sols. Les faux ciels. L'asphalte. Les banderoles. Les anciennes, que personne n'avait pensé à enlever, toutes décolorées, déchirées par le vent, avec des mots sans conséquence sur l'avenir : vieilles annonces de soldes, de colloques sur la cybernétique ou le paludisme, de concerts oubliés, comme des arriérés de langage. Les neuves, au design plus moderne, qu'on avait accrochées la veille ou l'avant-veille, pimpantes de peinture fraîche et d'événements à naître. Une pensée du fondateur de la nation reprise à son compte par le nouveau fondateur de la nation ; un autre congrès charismatique. Mille textes croisés, promesses et ratures, menaces et merveilles : *Jésus est là... le président a dit... ne ratez pas l'ouverture...* Tous les langages du temps qui passe et ne passe pas, de la ville à jamais agonisante, ayant tout raté, jusqu'à la gestion des ordures et du commerce des mots, la ville balbutiante et mal débarbouillée, gargouillant dans ses tréfonds de miasmes, de coups tordus, de faux pas ; tatouée dans son ciel de faux bons du Trésor, comme le corps du petit, dressant inventaire de son déficit de paroles vives, donnant lecture de ses minables acquisitions et promesses d'acquisition, puisant dans son compte de verbiages pour habiller son ciel de mots, semblable à l'épicier qui, notant tout dans son cahier, prenait sur la vente des conserves, des bougies et du gros savon, pour habiller sa femme en bleu. La ville trébuchante, parlant par écrit, par pattes de mouche, hors sujet. La ville contresens, ouverte comme une plaie, étalant sans vergogne ses fautes de syntaxe, ne disant rien qui vaille, mais refusant d'être muette : *Jésus est là... le président a dit... ne ratez pas l'ouverture...* La ville à court de propositions, ruminante, bégayante. Ah ! Ernestine Saint-Hilaire – *moi Noire, qui ai enseigné à mes fils qu'on ne parle pas pour ne rien dire –*, il n'est point d'or caché dans le ventre des mots. Les mots sont creux. Les mots ne parlent plus. Les mots n'ont nulle présence et n'attendent pas de réponses. Bicentenaire, soldes, colloque pourrissent sur les banderoles comme un corps de pendu, un cadavre desséché qui refuse de tomber.

Les mots sont morts, mon amour. Parle-moi de toi, mon amour. La journaliste tente quelques clichés. Les plus radicaux du groupe en sont furieux et lui font signe de descendre et de leur remettre le film. Mais les voix du bon sens s'élèvent contre leur geste. On ne peut pas être en même temps dans la rue et dans la clandestinité. Les voix du bon sens insistent sur le caractère exemplaire de leur action. Chaque pas qu'ils font donne la preuve de l'existence du mouvement ; chaque pas qu'ils font conteste la fixité du malheur. L'étudiant n'a rien entendu de tout cela. *Les mots sont morts, mon amour. Parle-moi de toi, mon amour.* Il essaie de mettre des traits sur le visage caché derrière la caméra et les banderoles. Il sait que toutes les journalistes étrangères ne se ressemblent pas, qu'il ne la reverra sans doute jamais, que ce qui avait pu se passer entre eux relevait du rêve ou de l'accident, du moment volé au cours naturel et implacable des choses. Elle l'avait oublié ou le gardait en réserve dans un coin de sa mémoire. Pour une mélancolie de quelques minutes, un soir de solitude, au hasard d'un bulletin de nouvelles. Dans une ville froide. Elle avait dit : *je viens d'une ville froide*. Elle avait dit cela. Ou il l'avait imaginé. Quand on aime on remplit de mots la bouche de l'autre. Elle ne pouvait venir que d'une ville froide pour chercher ici le soleil, lumière elle-même, allant son pas dans l'ignorance de sa lumière. *Je viens d'une ville froide*. Chercheuse de soleil. Trouvant dans le climat quelque chose de génial. Comme si trois cent soixante-cinq jours d'excédent de lumière naturelle sur une campagne fermée, triste comme un mouroir ; trois cent soixante-cinq jours de baissé-levé dans cette ville suant, poussant, cherchant la côte, fuyant la roche dure des

terres intérieures, se fixant chaque jour de nouvelles frontières, grignotant sur l'eau, comblant les
rivages de tonnes d'immondices pour augmenter
sa part de sol, volant chaque jour une toute petite
parcelle de mer pour loger son trop-plein de maisonnettes, d'enfants perdus, courant et n'arrivant
nulle part, changeant sans cesse d'identité sans
changer vraiment, fidèle dans ses dérives à l'inévitable lever du soleil, à l'inévitable transpiration
sous les aisselles du marcheur, c'était une chose
enviable, une sorte de bénédiction. *Vous avez le
soleil*. Elle avait dit ça, comme si elle prononçait
une vraie vérité. Elle avait dit ça, et il l'avait détestée. Le soleil, mon amour, ne brille plus dans les
yeux sans projets d'Ernestine Saint-Hilaire ! Le
soleil ne brille plus dans les yeux du petit qui ne
sort pas sans lunettes noires, même la nuit, parce
que dans les films un truand ne sort pas sans ses
lunettes noires. N'en déplaise aux poètes, le soleil
ne bat plus ses tambours : ni compère, ni général !
Il avait craché ça, le premier soir : *En pays tropical,
qu'est-ce donc que le soleil sinon la plus usée des
métaphores ?* Il y a des gens ici et, toi, tu viens
pour le soleil ! Il avait craché ça, le premier soir.
L'unique soir. Il l'avait détestée pour ses mots à
elle. Et elle avait eu peur de ses mots à lui. De la
violence de ses mots. Et sa légèreté à elle et sa violence à lui, dressées entre eux comme une barrière.
Jusqu'au moment où elle avait jugé préférable de
fermer le calepin, d'oublier le soleil et son reportage. Pour lui permettre, à lui, d'oublier sa colère,
et leur permettre à tous les deux de parler, ou
de ne pas parler, comme des gens qui venaient de
nulle part et n'avaient nul besoin de magnétophone et d'indices biographiques pour faire une
paire.

Sur son toit la journaliste a trouvé l'angle qui convient pour ses clichés. Son visage est maintenant visible. Et son corps, maigre, usé. L'étudiant se demande si le temps et les voyages vont vieillir de la sorte le corps de l'Etrangère. L'Etrangère. Au tout début du mouvement, il y avait de cela quelques mois, elle était arrivée l'une des premières pour un reportage sur les conditions de vie des étudiants. L'association l'avait mis sur la liste des étudiants qu'elle devait rencontrer. Lucien Saint-Hilaire, un nom sur une liste. Parmi les derniers. Il devait faire la queue pour raconter sa vie, exposer ses problèmes. Parce que, contrairement au petit, on jugeait qu'il se débrouillait plutôt bien avec les mots. *Ah ! Ernestine Saint-Hilaire, moi Noire, je te le dis, tu parles bien des choses, mon fils ! Un jour tu seras avocat, et tu pourras plaider notre cause !* Il était allé au rendez-vous sans enthousiasme. C'était le soir. Et il était fatigué. Il l'avait d'abord vue de dos. Dans sa robe droite. Noire. Toute simple. Ne cherchant pas à convaincre. Donnant à voir, comme ça, les jambes et les bras. Laissant deviner le corps. Le corps, la plus concrète des formes. Elle avait d'abord été cette image, cette femme debout, de dos, qui ne pouvait être que jeune et belle. Et, après son départ, c'est l'image qu'il avait gardée d'elle. Cette femme debout, de dos, dans sa robe noire, regardant Dieu sait quel ailleurs. Il avait aimé cette image, ce spectacle volé, avant qu'elle ne devienne une personne, avec une voix, une histoire, une manière à elle de rire, de pleurer, de faire l'amour, des moments à elle pour avoir faim ou n'avoir envie de rien ; des thèmes, des idées, une vision du monde, toutes ces choses qui font que les gens deviennent des personnes semblables aux autres, mais désespérément uniques, abordables sans qu'on les connaisse jamais au fond, sans qu'on puisse les résumer en une phrase, une photo. D'abord de dos. Debout, dans sa robe noire. *Ah ! Ernestine Saint-Hilaire, moi Noire, je te donne un conseil : trouve-toi une femme, mon fils, qui saura faire la part des choses, tenir son rôle, et te comprendre.* Je ne veux pas de femme, Ernestine Saint-Hilaire, de même que toi tu n'as jamais pris un homme pour partager ta part des choses. Je ne veux pas d'amours qui durent. Je veux juste garder l'image de l'Etrangère debout dans sa robe droite, souriant vers Dieu sait quel ailleurs, se retournant soudain, surprenant mon regard et me tendant la main, m'invitant à m'asseoir à une table du bar de l'hôtel, avouant, candide, qu'elle ne m'avait pas vu entrer parce qu'elle regardait le soir, rien que le soir, si différent en sa couleur de son soir à elle, de la ville froide où elle était née, m'offrant un verre. *Un rhum ? Non, un scotch.* La tête bourrée de clichés. *On m'avait dit qu'ici les gens buvaient surtout du rhum. Pas tous.* Et pourtant le visage, la partie visible du corps, le seul paysage qui compte, l'échancrure de la robe et la nuque révélée alors qu'elle se penche pour sortir son calepin, *Avec votre permission. Bien sûr, on est là pour ça.* Et la solitude imposée par le vouvoiement, le ton professionnel, sans complaisance ni agressivité. *Alors, par quoi voulez-vous qu'on commence ? C'est comme vous voulez. Peut-être par votre enfance.* Et que te dire de mon enfance sinon que la mer m'a toujours manqué mais je n'ai jamais osé en parler, sauf une fois. *Et Ernestine Saint-Hilaire, moi Noire, je te le dis, mon fils, nul n'a jamais vu un poisson défiler au Champ-de-Mars le jour de la fête du drapeau. Et c'est quoi le Champ-de-Mars ? La plus grande place de*

Port-au-Prince, pour les badauds et les cérémo-nies officielles. Oublie la mer, mon fils. Et que veux-tu que je te dise de mon enfance, mis à part mes silences, et qu'à l'époque le petit me suivait partout et ne jurait que par son frère, que la seule arme à feu que nous connaissions, c'était le vieux 38 rouillé du chef de notre section, un gros revolver à la crosse tordue comme un pied de cochon, le chef avait du mal à la maintenir dans sa ceinture, et une année, lors de la fête champêtre, l'arme est tombée, tirant toute seule un coup pour rien. *Dites-le-moi, si mes questions vous dérangent. Non. Un autre verre ? Oui, merci. Un rhum pour moi, un scotch pour monsieur. Et Port-au-Prince, est-ce que cela a provoqué un choc ?* Est-ce que je te demande d'où tu viens, moi ? Tout ce que je veux savoir, c'est si tu as toujours été aussi jolie et qu'est-ce qu'il faut faire pour que tu arrêtes de parler ta langue de ma-chine à savoir, ta langue sèche de rapporteuse syndiquée, et que tu parles enfin ta langue d'in-térieur, celle qui va avec le sourire, celle des formes lisibles sous la robe tout à l'heure quand je t'ai vue de dos, celle qui n'a rien à voir avec ta langue de métier, ta carrière, ton gagne-pain. Je ne suis pas où tu me cherches. Si tu veux que l'on se comprenne, parle-moi ta langue de haute mer, ta langue de jeunesse, car au fond tu n'es guère plus âgée que moi, malgré ta carte de presse et tes frais de voyage. *Est-ce que vos études et votre engagement vous laissent du temps pour vos loisirs ? On dit qu'ici vous êtes tous des dan-seurs.* Tais-toi, mon amour. Ou parle-moi de toi. De la mer. J'aimerais que toi et moi nous ne par-lions que de la mer. *Non, je ne danse pas beau-coup.* Que tu dois être belle quand tu danses sous cette robe. J'aimerais te regarder tourner

73

comme une toupie, comme un cerf-volant, comme tout ce qui tourne et nous emporte au loin. J'aimerais te regarder danser, bouger sous ta robe, sur n'importe quelle musique. Tu serais à la fois la musique et la danse. Tu serais le mouvement. Tais-toi, mon amour, et laisse-moi te regarder bouger. *Est-ce que ça va ? Si vous le désirez, nous pouvons arrêter. Non, ça va. J'aimerais juste marcher un peu.* Et elle avait rangé son calepin, payé la note, et ils avaient marché dans le hall, vers le soir, et ils avaient regardé le soir ensemble, de la terrasse de l'hôtel. Et c'est à ce moment, alors qu'il a envie de lui prendre la main, d'oser la regarder vraiment, qu'elle fait sa réflexion idiote sur la chance d'avoir le soleil. Non, mon amour, ne dis pas ce genre de bêtise. Et lui qui ne se met jamais en colère (la colère, c'était le privilège du petit qui se cognait la tête contre les arbres, lançait des coups de pied aux chèvres quand on contrariait ses désirs) – *Ernestine Saint-Hilaire, moi Noire, je vous le dis, méfiez-vous de l'eau qui dort. Ezéchiel, il a le sang chaud, mais c'est Lucien qui me fait peur !* – s'était mis à crier qu'il en avait marre du soleil, de cette interview à la con, mais pas de toi, non, pas de toi, si on ne parle pas de tout ça. Et elle avait dit d'accord, on ne parle plus de tout ça ; et le garçon s'était approché pour demander à l'étrangère si tout se passait bien, et elle avait dit oui, tout se passe bien, et elle avait commandé un rhum pour elle et un scotch pour lui. Ils ont continué à regarder le soir, parlant peu, prenant le temps d'être nulle part, et les choses dont ils ont parlé n'étaient pas de celles qu'une journaliste en mal de scoop pense à noter dans son calepin.

A neuf heures, ils ont atteint le point de ralliement. En comptant tous les groupes, ils font une
petite centaine. La journaliste au corps usé, aux
vêtements usés – tout en elle paraît usé – est des-
cendue de son toit et a suivi le groupe de l'étudiant. Elle se tient à l'écart pour être libre de ses
mouvements. L'étudiant a dans sa poche son
paquet de cigarettes, une boîte d'allumettes, le
chèque du docteur et la lettre de Catherine.
L'Étrangère a un prénom. Elle s'appelle Catherine.
Son reportage n'a pas eu de succès. Les premiers
mois il ne s'est rien passé d'excitant et elle est
vite repartie. Son métier c'était de suivre le sang
à la trace, pas de consoler les jeunes gens mal dans
leur peau. *Crois-le si tu veux. J'ai été contente de
te connaître, et ce moment passé ensemble, cela
m'a fait du bien. Cela m'a permis de mettre des
choses en perspective. Merci, et prends soin de
toi. A un de ces jours, peut-être. Sur une quelconque mer.* Il a gardé la lettre sur lui, à tout instant. Il ne l'a pourtant lue qu'une fois. Il la garde
un peu comme on garde une photo dont on
sent la présence sans avoir à la revisiter. Catherine. Elle était repartie trois jours après leur rencontre. Elle lui avait laissé la note au secrétariat
de la faculté. Ils ne s'étaient pas revus entre-temps.
Ils ne se reverraient sans doute jamais. *Sur une*

mer, peut-être. Avec l'argent de ses casses le petit aurait pu se payer un voyage clandestin ou obtenir des faux papiers. Mais il avait peur de la mer. Seule la mer effrayait le petit. Dans leur enfance il avait donné la chasse à un chien atteint par la rage. A l'école, il avait, maintes fois, affronté toute une bande sans jamais appeler à l'aide. Mais il avait peur de la mer. L'étudiant était alors en terminale. La promotion organisait une journée à la plage. Il avait emmené son petit frère. Pour lui faire un cadeau. Mais le petit avait eu peur. L'étudiant avait payé un tour sur un bois fouillé. Pour eux deux. Le marin pêcheur leur chantait des chansons de mer. L'étudiant les trouvait belles. De plus en plus belles, à mesure qu'ils s'éloignaient de la terre. Mais le petit trouvait que c'était nul, la promenade, les chansons, et il voulait savoir combien le marin pêcheur pouvait gagner à faire la course avec les poissons sur sa chaloupe de merde, et s'il avait jamais entendu parler des vraies musiques, celles qu'on danse dans les night-clubs, celles qui passent sur les stations émettant des Etats-Unis, et puis, *ça suffit, je veux rentrer, le sel me ruine mes Nike.* Le marin pêcheur continuait de chanter. Le petit s'énervait pour de bon. Mais le marin pêcheur, sans s'ébranler, déclarait que celui qui l'avait payé avait le droit de décider. *Toi, le morveux, tu te tais.* Lucien ne voulait pas d'éclat. *C'est bon, on rentre.* Mais cela avait agacé le petit qu'on le traite comme un moins que rien. *Moi j'aurai de l'argent, alors que, lui, il sera rien qu'un petit prof avec une femme qui le trompera, comme la vôtre elle doit vous tromper. Vous n'êtes que des ratés, alors que moi je serai riche.* Il s'était mis debout et son poing était tout près du visage de Lucien. Toujours aussi calme, le marin pêcheur les avait avertis que si ce sale gamin continuait à remuer ainsi il finirait par faire chavirer la barque. Mais la peur n'a pas d'oreilles. Une vague avait giclé dans la chaloupe et le petit avait eu peur pour sa vie et pour ses Nike. Fou de rage, il avait voulu attaquer le marin pêcheur qui riait de sa peur. Il avait bondi vers l'ennemi, glissant, tentant vainement de rétablir son équilibre, et faisant chavirer la barque. *Ah ! Lucien, Ernestine Saint-Hilaire, moi Noire, je te le dis, veille sur lui, ne le laisse pas faire de bêtise !* Le petit faisait tout pour se noyer, frappait l'eau, ouvrait la bouche pour crier, repoussait les mains du marin pêcheur qui essayait de le maintenir à la surface. *Ah ! Julien, Ernestine Saint-Hilaire, moi Noire, je te le dis, ton frère, il se croit très fort, mais dans le fond il est fragile. Veille sur lui !* L'étudiant avait aidé le marin pêcheur à redresser la barque. Ensuite ils s'étaient mis à deux pour hisser le petit. Il n'avait plus la force de se battre et restait les yeux fixés sur ses Nike. Le marin pêcheur avait recommencé à chanter, comme si rien ne s'était passé. Lucien ne parlait pas. *Ah ! Ernestine Saint-Hilaire, moi Noire, je vous le dis, le destin il fait ce qu'il veut, le malheur ne demande pas la permission pour s'installer dans votre maison.* Tu aurais parlé comme ça, parce que tu n'es pas femme à faire des reproches, et ta résistance à toi c'est d'inventer des vérités qui s'adaptent aux impondérables. Mais tu ne m'aurais jamais pardonné. Tu avais dit : *oublie la mer.* Au moment d'accoster, le marin pêcheur avait empoché l'argent de la promenade et demandé à Lucien où il avait appris à nager. A Carrefour, le samedi, quand j'avais le temps. J'allais seul. Dans l'eau je ne pense à rien, et le temps n'a pas d'importance. Mais le petit, ses pieds enfin sur la terre ferme, voulait de nouveau agresser le marin pêcheur qui avait ruiné ses Nike en faisant chavirer la barque. Et l'homme, en retournant à sa barque et à ses chansons, lui avait répondu qu'il n'était qu'un petit imbécile, une mauvaise graine, et qu'un frère comme ça personne n'avait le droit d'adresser des reproches à celui qui un jour, par lassitude, décidait de le laisser mourir.

A neuf heures trente, les choses ont commencé à se précipiter. Les étudiants, se jugeant assez nombreux, ont décidé de suivre le parcours annoncé. Au même moment, une autre série d'événements, tous plus banals les uns que les autres, tous liés, sans l'être pour autant par un fil conducteur, un rapport de cause à effet, se développent dans la ville, au début de cette année du bicentenaire de l'indépendance, ou à la fin de l'année précédente, l'une dans l'autre, comme si, tout compte fait, les années se suivent et se ressemblent par-delà les anniversaires.

Au moment où les étudiants entament leur marche vers le Palais national, le propriétaire de l'*Epicerie du vrai Port-au-Princien* réalise, horrifié, qu'il pense à sa femme comme on pense à une vraie personne et qu'il s'inquiète de son absence. Une telle chose ne lui est pas arrivée depuis des années : il avait cessé de penser à elle en tant que personne, et la rangeait parmi les accessoires les plus encombrants de sa vie et de sa boutique. Le meilleur, sinon le seul cadeau, qu'il attendait d'elle, c'était qu'elle mourût, de préférence dans un moment d'extase et de béatitude, qu'elle pût mourir heureuse en se pensant très près de Dieu. Il n'attendait que ça pour sortir danser un soir sur un air des années 1950. Il avait repéré deux night-clubs au profil rétro où l'on jouait encore le mercredi et le jeudi les belles méringues du temps jadis. Et, pour trouver une partenaire, s'il avait perdu de ses charmes, il avait conservé sa voix, son parler coq, et les revenus de sa boutique qui pourraient servir d'arguments : il y a tant de jeunes filles qui sont dans le besoin. Mais ce matin-là, plutôt que de souhaiter la mort de son épouse, voilà qu'il s'inquiète de son absence en espérant que l'Eternel en qui elle place sa confiance au point de lui sacrifier sa sexualité, son sens de l'humour et du ridicule, lui donnera la force de marcher plus vite que les coups de feu, d'ouvrir la porte de derrière et de le rejoindre à l'avant d'où ils regarderont le mouvement de la rue. Cependant que l'épicier découvre qu'aux heures graves il redevient amoureux de sa femme, les étudiants continuent leur marche vers le Palais national. Ils ont du mal à s'entendre sur un slogan. L'avant-garde porte le drapeau et scande l'hymne de l'université. Ceux qui ferment la marche ne peuvent pas entendre ce que chantent les autres, et improvisent sur des thèmes variés incluant la corruption et le crime politique. Lucien est un peu perdu. Il voit tous ces dos devant lui, transpirant déjà, résolus, prêts à faire face au pire, comme chaque fois qu'ils sortent dans la rue pour défendre leurs droits. *Défendre vos droits ? Quels droits ? Les droits, c'est une affaire personnelle, on prend ce qu'on peut en s'attendant qu'on vous refuse tout. Moi, je ne demande rien à personne.* C'est ainsi que le petit avait parlé et il avait pris sur la ville le droit de se faire appeler Little Joe, parce que personne ne lui avait demandé si ça lui plaisait de s'appeler Ezéchiel, le droit de violer les bourgeoises, une fois en passant, en exigeant qu'elles fissent semblant de le désirer, parce que s'il leur avait laissé le choix il n'aurait couché qu'avec ses doigts. Lucien se tient au milieu. Il a conscience de s'être toujours trouvé entre deux choses ou deux personnes. Entre Ernestine et le petit. Entre Port-au-Prince et le Plateau central. Il n'y a qu'avec l'Etrangère qu'il a pu trouver son balancement propre. Ils n'avaient pas beaucoup parlé, mais, ce soir-là, il avait obéi à son propre besoin de silence. Pas à celui d'Ernestine à qui, à chaque voyage, il était condamné à mentir par omission, pour ne pas lui donner les vraies nouvelles du petit. Pas à celui de la lutte qui lui interdisait de penser que ce n'était pas forcément très intelligent d'aller se faire massacrer sans une arme pour se protéger. C'est à cela qu'il pense en marchant au milieu de ses camarades. Il ne chante pas. Il aime bien marcher, mais il a toujours détesté chanter à l'unisson. Dans la foule devant lui, il remarque Paulémon et Ayissa. Ayissa chante et Paulémon la regarde chanter. C'est vrai qu'elle est belle et qu'il aurait pu l'aimer. Mais elle est comme lui, dans le besoin, dans le balancement entre des choses et des personnes, avec des attaches et un faux air de détachement, des procédures d'adaptation, de transferts et de résistance qui font de l'amour lui-même une stratégie. Il se demande si la vraie bataille de Paulémon et d'Ayissa ne consiste pas à conquérir un jour le droit d'être modernes uniquement quand ils le désirent, passéistes quand ils le souhaitent. Telles sont les pensées de l'étudiant, au milieu de ses camarades. Présent et absent. Des gens plus âgés, de toutes les conditions, se tiennent, hésitants, sur les trottoirs, et regardent le groupe avec admiration. Quelques-uns, suivant l'exemple des étudiants, oublient leur peur et rejoignent la manifestation. Il y a un homme qui ressemble à Eliphète, mais l'étudiant ne l'a vu qu'une fraction de seconde avant de le perdre dans la foule. Dans sa chambre, la femme du chirurgien est furieuse. Eliphète ne répond pas à ses appels, et les chiens ne cessent d'aboyer. Elle n'est pas habituée à ne pas avoir sous la main quelque bête à tyranniser. Eliphète lui manque plus que son mari. Elle passe plus de temps à crier après celui qui lui doit obéissance qu'à penser à celui qui ne lui inspire plus rien. Pas même la haine. Elle n'ignore pas que la convalescence d'un patient, les congrès médicaux, voire certaines opérations ne sont que des prétextes pour s'éloigner de la maison. Elle ne s'en fâche pas et ne pleure pas son absence. Il y a Eliphète et Marguerite, et tant qu'on peut donner des ordres… *Eliphète, tonnerre !* C'est la première fois qu'Eliphète a osé rompre sa promesse de servilité, et l'effet est plus douloureux que le petit mensonge dominical de son époux qui a prétendu avoir à s'occuper d'un malade qu'il avait opéré la veille. En général, il se contente de les taillader au bon endroit, au bon moment, de recevoir les compliments et le chèque des parents, et basta ! Elle l'imagine plutôt à un poker avec une poignée de collègues et d'industriels devisant, entre deux mises, sur la situation du pays, la faillite nationale et la nécessité pour les élites de reprendre les choses à leur compte. Le chirurgien joue en effet au poker avec une poignée de collègues et d'industriels. Mais tandis que les autres approuvent ou critiquent le radicalisme des étudiants il perd gros, les mains nulles, l'esprit ailleurs. Se disant que ce matin quelque chose d'étrange s'est passé entre sa femme et le répétiteur. Quelque chose comme un courant. Je sais qu'elle change souvent d'amants, mais je doute qu'elle choisisse cet étudiant venu d'un autre monde. *J'ai peut-être cédé trop vite à l'idée d'un répétiteur pour ce crétin d'Alfred. Celui-là n'est pas né pour être intelligent, les études n'y changeront rien. Il faut qu'il parte à l'étranger et revienne avec un diplôme. Il n'aura plus qu'à s'établir. Non, je passe.* Et les cartes posées sur la table, abandonnant le jeu et toutes prétentions académiques pour son fils, le chirurgien allume une Benson and Hedges et décide de ne plus penser à rien et de laisser faire le temps, en trouvant quand même une pensée pour se consoler. Alfred est né pour mourir idiot, mais se shoote uniquement aux jeux vidéo. Alors que toi, mon vieux, même si tu gagnes au jeu, ton fils lit l'avenir dans la coke. A chacun son dimanche. Alfred, quant à lui, gadgétise seul dans sa chambre, le poste de télé allumé, mais vu qu'il ne regarde jamais les chaînes locales, ne vivant que par satellite, il ignore que le comité de crise de la faculté de M. Lucien a pris la tête du mouvement, et que le nombre des manifestants augmente au fur et à mesure que la marche progresse. Le petit groupe de cent constitue désormais une foule plus importante. Toutes les salles de nouvelles ont appelé leurs reporters à la rescousse et s'excusent auprès des auditeurs de devoir interrompre les informations religieuses et les prières radiophoniques pour diffuser des flashs. Le petit n'écoute pas la radio. Seuls les imbéciles prennent ce qu'on raconte sur les ondes pour les vraies nouvelles du pays. Les nouvelles du jour se préparent la veille. Il a averti l'autre crétin qui se prend pour un intellectuel, un philosophe ou qui sait quoi. *Vous allez vous faire massacrer.*

Les gars de la bande ont déjà reçu leur paie pour prêter appui à la police. Comme ça on pourra dire qu'il s'agissait d'une guerre de voyous, que les forces publiques avaient tenté de ramener l'ordre. Ils ont droit de tuer. Et ils en tueront deux ou trois. En leur donnant l'argent, un lot pour chacun d'eux, le recruteur a insisté sur la nécessité de donner un exemple. Le petit n'aime pas les manières efféminées du recruteur, ni cette idée de donner un exemple. Cela lui rappelle l'école. L'institutrice passait son temps à donner des exemples. *Pour les rappeler à l'ordre, il faut des exemples. Qu'ils sachent ce qui les attend...* L'ordre ne dit rien qui vaille au petit. Il se nourrit du désordre et ne veut embrigader personne. *In the rivers of Babylon*, chacun pour soi et sauve qui peut. Un jour, quand il sera riche, peut-être ira-t-il voir la vieille ! Pour le moment, il se contente de détruire celui qui lui barre la route. Les étudiants, les bourges, le recruteur s'il lui vient l'idée de le contrarier. Le petit est allé rejoindre sa bande, et à neuf heures trente-cinq Ezéchiel *alias* Little Joe a bien compris les consignes. Ce n'est pas difficile. Il suffit de lancer quelques pierres. Les étudiants finiront bien par réagir. Alors les policiers utiliseront les bombes lacrymogènes, et Little Joe pourra sortir son revolver et sa matraque. Il n'y a plus qu'à se poster dans la partie visible d'un quartier populaire. Et attendre. Little Joe déteste attendre. Contrairement à Lucien qui se vautre dans la patience et pouvait écouter l'Aveugle parler pendant des heures, passer des soirées tout seul avec ses livres, attendre son diplôme, une nomination de professeur dans un lycée. Little Joe déteste attendre. Dans un quartier populaire, en plus. Pire que le sien. Il sent le besoin de fumer un joint pour se préparer, pour mieux supporter le soleil dont les rayons commencent à taper très fort sur sa peau, dans ses yeux, malgré la casquette et les lunettes noires. Les étudiants et leurs sympathisants ne pensent pas au soleil. Ils chantent qu'ils n'ont pas peur, qu'ils n'auront jamais plus peur et qu'il faut bien qu'un jour on puisse vivre ici comme des êtres humains. Parmi les manifestants, il y en a de très sales, un mélange de colère et de pauvreté qui ne s'est pas lavé depuis longtemps, faute de temps ou d'eau propre. Il y en a aussi de très bien mis qui manifestent le dimanche en habit du dimanche, des habillés ton sur ton. Parmi eux le saint-louisien. Lucien se demande ce qu'il fait là. Il n'a pas une tête à manifester. Il a grandi dans un culte de la distinction qui ne le prédestine pas à fraterniser avec les Estimable au point de marcher avec eux côte à côte, tout collé, tout collé, comme dans la chanson, un même pas, une seule sueur. Sauf peut-être un après-midi de carnaval, quand se mêlent les diables et les bons masques. Quand on fraternise au tafia, à coups de hanches. Quand toute une ville titube et tourne sur elle-même. Une ville tolalito, olé olé, une ville de faux-semblants, de fausses joies, qui zouque, piaffe, en mal d'effervescence dans la prétendue liesse de prétendus jours gras. L'étudiant est étonné de voir le saint-louisien se mêler à la foule dans le cadre informel d'une manifestation de rue non réglementée par le code du commerce, passant le cap de la licence, de la convention permissive admettant le délit de foule trois jours sur trois cent soixante-cinq. Il l'imagine, dans une chambre bien rangée, tous les dimanches matin, à se faire un devoir d'apprécier la musique lyrique, au nom du père, du fils, se regardant dans un miroir et croyant voir la tête du dernier des Gonzague. Mais le saint-louisien est là, dans la rue, reconnaissable à sa démarche, à sa façon d'être dans la foule et à l'écart, à sa réticence à sourire quand un étudiant ou un sympathisant en colère lance un slogan empreint de vulgarité et revendique fièrement son vocabulaire, *putain, charogne, chien sale, fils de, mère de*, en criant qu'aux salauds il convient de ne parler que la langue des salauds, avec des mots coups de poing, des mots machette sans politesse ni retenue, des mots comme si on leur enfonçait tout un poing dans la gorge pour les forcer à vomir tout ce qu'ils nous ont pris ! *On ne va quand même pas réciter des poèmes. Nous sommes en guerre, tonnerre, on va pas leur chanter des cantiques ni s'agenouiller pour prier !* Et la foule, jugeant que c'est une bonne idée de mettre Dieu de son côté, s'est pourtant mise à chanter *Alléluia ! Nous n'avons pas peur, et nous n'aurons plus jamais peur. Alléluia !* L'étudiant ne chante pas. Il n'a jamais apprécié les hymnes, les cantiques. *Ah ! Ernestine Saint-Hilaire, moi Noire, je vous le dis, prenez le temps, mes fils, de parler aux mystères !* Dans leur enfance, avec le petit, ils appelaient parfois les mystères pour arrêter les pluies quand il tombait sur les moissons plus d'eau que nécessaire. Mais les pluies continuaient de tomber, noyaient le riz et les tomates. L'eau se couchait sur la terre et s'endormait de longues semaines. Le temps qu'arrivent les secours, elle partait de son propre gré et mettait des mois à revenir. Le matin, on levait la tête pour rien. Le ciel restait couleur blanc sec et pas une larme ne tombait. Et quand l'eau venait à manquer, les esprits ne faisaient pas venir la pluie. Alors, les deux frères Saint-Hilaire, voyant poindre l'inquiétude dans les yeux fragiles d'Ernestine, chantaient des chansons à la pluie.

Lucien se rappelait, il prenait le petit par la main, ils se tenaient debout sur la plus haute pierre et chantaient à la pluie *viens, nous te donnerons des bonbons*. Les mains cachées derrière le dos, leurs petits poings fermés sur des cailloux, pour la prendre à la ruse si jamais elle envoyait un espion vérifier que la chose promise existait, ils avaient beau lui chanter *viens, nous te donnerons des bonbons ; viens, s'il te plaît, nous te donnerons des bonbons*, elle demeurait invisible, inaudible, et eux savaient qu'elle se cachait exprès quelque part, prenant plaisir à les faire attendre. Et Lucien s'était lassé de lui offrir des bonbons, d'en appeler à papa Damballah, maman Marie, papa bon Dieu, ma tante Erzulie, toute une panoplie de bons à rien qui n'étaient jamais là quand on avait vraiment besoin d'eux, même pas foutus de faire venir la pluie au bon moment, qui se trompaient de saison, et la faisaient tomber à l'improviste sur les rizières, quand on n'avait plus besoin d'elle, et casser les espoirs fondés sur la récolte. Mais le petit avait gardé le souvenir des mystères, et quand il étalait son mouchoir rouge sur le lit, plaçait au centre une épingle, trois feuilles d'armoise, une photo de saint Jacques le Majeur, et nouait le mouchoir par les quatre extrémités avant de le mettre dans la poche de ses jeans, de prendre son Glock et de s'en aller sur un signe de croix en veillant à poser le bon pied dans la rue, Lucien savait qu'il partait sur un coup.

La foule est agenouillée, confiante en ses allé-
luias. Lucien a voulu profiter de la halte pour se
trouver un corridor où fumer une cigarette. En
général, il ne fume pas dans la rue. Sauf le soir.
Ou après la pluie. Sous le soleil, il a l'impression
d'inspirer tout l'air de la ville pollué de gasoil,
d'urine, des plaies béantes des mendiants, des
cadavres d'hommes et d'animaux abandonnés
par les chauffards ou les truands qui les ont exé-
cutés comme indices d'une destinée commune
à chaque passant, des repères pour rappeler à
l'ordre du tourment toute personne qui sortirait
dans la rue avec des idées positives en tête, tout
fou qui s'attendrait à une nouvelle rencontre
annonçant quelque chose de beau : une histoire
d'amour ou un rire d'enfant. Il ne fume plus dans
la rue. Mais c'est dimanche, et le gros de la foule
s'est agenouillé, et des manifestants en ont pro-
fité pour acheter des chapeaux ou de la glace
concassée aux vendeurs qui ont suivi la marche.
L'étudiant s'est appuyé contre le mur d'une mai-
sonnette délabrée à l'entrée d'un corridor pour
fumer. Il voit la journaliste au visage ridé, debout
de l'autre côté de la rue, travaillant de la caméra,
et un collègue à elle, avec un micro, enregistrant
le chant de la foule, cherchant un contact visuel
avec une poignée de jeunes, leur demandant ce

qu'ils font là, ce qu'ils espèrent, et peut-être pourquoi ils ne laissent pas les choses comme elles
sont, parce que, avant de venir, je me suis informé, j'ai lu en diagonale un ouvrage sur votre
histoire, et vous n'avez jamais connu le calme ni
la prospérité. En fumant sa cigarette, l'étudiant se
rend compte qu'il met des mots dans la bouche
du journaliste, qu'il n'a pu entendre ce que le journaliste demande, peut-être des questions légi-
times, profondément humaines, l'expression d'une
bonne intention, et que, lui, Lucien, s'est laissé
gagner par une colère sans fondement, qu'il
n'en veut pas vraiment au journaliste poseur de
questions, mais qu'à cette heure, plus présente
que la réalité de la foule appelant Dieu à son
aide, il y a l'image de la robe noire, droite, toute
simple, s'arrêtant juste au-dessus des genoux,
sans manches, laissant voir les bras, la naissance
des épaules, et le visage, enfin, quand la robe
s'est retournée pour dire *bonsoir, excusez-moi,
je ne vous avais pas vu arriver*, et la mer, tout de
suite après, parce qu'il a toujours rêvé de la mer,
y jetant tout ce qu'il a trouvé de beau dans la
vie, et jamais avant il n'a autant rêvé de la mer,
jamais il n'a eu autant besoin d'elle que lorsque
la robe devenue une personne s'est assise en
face de lui. Il en a parlé un soir à Estimable,
alors qu'ils faisaient la route ensemble pour rentrer chez eux, à l'issue d'une réunion difficile,
interminable, avec les membres de la coordina-
tion du mouvement. La robe noire de l'Etrangère
était entrée dans la salle de réunion au moment
où l'on discutait de l'option tactique qui répondait le mieux aux objectifs. Estimable avait senti
qu'il n'était plus avec eux sans savoir qu'il était
sur la mer, tout bêtement, comme dans les rêves
les plus communs, avec elle, tout bêtement, comme

dans les rêves les plus communs, et qu'elle lui permettait d'enlever la robe et qu'il l'enlevait, et qu'elle était belle, et que lui était tendre, tout bêtement, comme dans les rêves les plus communs, et qu'à ce moment ils ne pensaient à rien, surtout pas à leurs pays respectifs, vu que, tout bêtement, comme dans les rêves les plus communs, y a des moments de bonheur qui font qu'on n'imagine que le bonheur. Il avait confié à Estimable que ça lui arrivait souvent de vivre ce moment, de perdre le sens de la réalité immédiate alors qu'il enseignait l'ABC de la syntaxe à Alfred, au milieu d'une querelle avec le petit, voire à des heures plus graves, comme ce soir, pendant la réunion. Et Estimable avait trouvé nulles ses confidences, sans intérêt, comme dans les rêves les plus communs. *Et comment est-ce que tu peux te laisser dominer par une femme que tu n'as connue qu'une soirée, projeter tout ton être dans cette fantaisie sans devenir ! Peut-être se paie-t-elle un jeune homme désabusé dans chaque pays, à chaque enquête ! Tu n'as rien d'unique. Personne n'a rien d'unique !*

L'étudiant a fini sa cigarette. La foule s'est levée et a repris sa marche. Les uns s'essuient les genoux par réflexe, d'autres respirent une grande bouffée d'air pour se préparer pour la suite. Plus ils se rapprochent de la zone du Palais national, plus il y a des chances que les choses se gâtent. Le nombre des manifestants ne cesse cependant d'augmenter. Lucien ne voit plus ses amis qui ont pris la tête de la marche. Il regarde maintenant derrière lui pour avoir une idée du nombre. Il n'est pas bon en calcul et ne peut pas les compter. Devant lui, des milliers de dos. Derrière lui, des milliers de visages. Il a oublié, ils ont tous oublié qu'il existe dans ce pays des milliers de personnes, et à l'intérieur de chacune de ces personnes vivent des cris, un tumulte qui se multiplie et donne son rythme à la marche. Mais il y a aussi un monde de silences, et nul n'entend le silence de l'autre. C'est pourtant ça l'idée qui le fait marcher. A chaque dos, à chaque visage, il a envie de dire *je veux entrer dans ton silence*. Le bruit est la chose la mieux partagée, mais le silence, là où ça se noue à l'intérieur de toi, là où tu saignes du dedans comme un arbre qui ne donne pas à voir le travail du temps, le vide intérieur qui le fait soudain s'écrouler alors que tous le croyaient debout pour l'éternité ! *Je veux entrer dans ton silence*. A dix heures la foule a tourné dans la grande avenue où le premier barrage de police attendait. Et l'étudiant a pensé que l'on pouvait crier ensemble, mais qu'à la fin des fins chaque homme meurt avec son silence.

A dix heures, le propriétaire de l'*Epicerie du vrai Port-au-Princien* a déjà recommencé à détester sa femme. Elle a enlevé ses vêtements bleus du service religieux et, drapée dans sa robe-sac d'intérieur, elle désire commenter le sermon du pasteur. L'épicier veut écouter les nouvelles. Les reporters ont annoncé que les manifestants s'approchent d'un barrage de police. Comme à l'ordinaire les policiers portent des cagoules et constituent une double rangée, le commandant debout au centre, et les hommes de troupe debout derrière lui. L'épicier n'a pas mémoire d'une telle situation dans son Port-au-Prince à lui où les foules n'affrontaient pas la police, et où les officiers ne portaient pas de cagoule. Un officier de l'armée, c'était une fonction prestigieuse, et les officiers d'autrefois passaient leur temps à danser le compas direct et la cadence rampa ou à jouer aux dames chinoises en buvant du Chivas Regal dans les locaux du cercle militaire. Sa femme ne veut rien entendre des militaires d'autrefois, des policiers d'aujourd'hui, ni surtout de la manifestation. Elle veut que tous prennent conscience du retour imminent du Seigneur, et comme le pasteur l'a rappelé aux brebis égarées il faut se baigner dans le sang du Christ. Mais la seule chose que l'épicier reproche au passé, c'est le sang qui a coulé inutilement. Dans un bal, à Cabane Choucoune, il a vu un employé du ministère de l'Intérieur sortir son revolver et tirer sur un jeune homme. Il se souvient du rouge sur le smoking blanc. Et voilà que le sang va encore couler. Dans la rue, cette fois. Les policiers ne portent pas de cagoule s'ils n'ont pas reçu ordre de tuer. Et le voyou du quartier, cette ordure venue du Plateau central qui se fait appeler Little Joe, il est sorti avec son arme une heure après son frère qui semble être un garçon correct. Trop triste pour son âge, mais correct. *Tout ce qui arrive en ce bas monde, c'est la volonté du Seigneur. Fous-moi la paix, Simone. Si t'es grosse comme une barrique, c'est que tu manges comme un cochon, il n'y a que pour le sexe que tu pratiques l'abstinence.* Et Simone s'est mise à pleurer en reprochant à son mari de n'avoir pas de cœur, de ne pas l'aimer chrétiennement et de penser tout le temps à des choses cochonnes, comme la danse et à lui mettre son pénis dans le mauvais trou alors qu'à leur âge ils devaient oublier tous ces péchés de la chair et préparer ensemble leur âme pour le grand voyage. Et l'épicier est furieux parce que les sanglots de Simone l'empêchent d'entendre les bruits de la manifestation que toutes les stations sont en train de transmettre. Des bruits de voix qui crient *nous n'avons pas peur, nous n'aurons plus jamais peur.* Et soudain des bruits de pas courant dans tous les sens et des cris de douleur et de panique se mêlant aux voix qui crient, moins certaines, déjà, de leur cri, *nous n'avons pas peur, nous n'aurons plus jamais peur.* Des bruits de corps qui tombent et se relèvent. Les mêmes corps, tombant, se relevant, avançant, reculant. Et l'épicier se demande quelle était donc cette ville qu'il avait prise pour la sienne. Tout ce qu'il a demandé, c'est le droit de vendre ses produits, de dialoguer avec ses clients pour qu'ils deviennent des habitués. Rien d'exagéré : une vraie femme, une belle cérémonie avec une vraie fanfare pour célébrer le bicentenaire, la possibilité de danser sur les airs d'antan. Et voilà qu'il doit se contenter d'une ville sale et ensanglantée dans laquelle personne ne connaît plus personne. Le reporter insiste sur la détermination des policiers qui ont chargé sans avertissement. Et Simone qui n'arrête pas de pleurer et de dire que c'est le commencement de la fin annoncée par le pasteur, et que *nous ne sommes pas prêts ! Non, mon ami, tu n'es pas prêt.* Et l'épicier se demande ce qu'est donc cette chose qui a été sa femme, sa meilleure compagne sur les pistes de danse. Le reporter résume : la police a lancé les bombes, les manifestants ont tenté de résister en relançant les bombes dans la direction des policiers, les policiers se sont mis à tirer à hauteur d'homme, les manifestants se sont éparpillés dans les venelles et les policiers les ont poursuivis sans cesser de tirer, un policier, un gradé, a attrapé un manifestant, il l'a coincé contre le portail d'une maison et il le frappe avec la crosse de son fusil automatique, le policier s'approche maintenant du reporter et veut lui prendre son magnétophone, le reporter court, sa voix se casse : *l'air est devenu irrespirable et les balles continuent de pleuvoir, il me faut m'abriter ! A vous, les studios. Je vous reviendrai tout à l'heure.* Et l'épicier n'entend plus que la voix du directeur de la salle de rédaction qui répète *allô, allô, Mobile 3, quelle est votre situation ?* Et Mobile 3 n'émet plus rien. *Bon, on change.* Sur une autre station, avec une équipe plus complète, ce sont les mêmes nouvelles : les balles continuent de pleuvoir et l'air est irrespirable. Les informations de Mobile 5 qui se trouvait à l'avant de la manifestation viennent d'être confirmées par celles données par Mobile 4 qui s'est posté à l'arrière et a vu arriver une nuée de manifestants pris en chasse par les policiers. Désespérés, les manifestants lancent des appels au secours aux habitants des maisons des deux côtés de la rue. Les portes sont ouvertes, ils entrent carrément, au hasard, sans demander la permission. Les policiers, furieux, lancent maintenant les gaz à l'intérieur des maisons. Le rédacteur en chef relaie les victimes enfermées dans leur domicile, réclamant le secours de la Croix-Rouge pour les femmes enceintes qui risquent de perdre leur bébé, pour les enfants et les vieillards que les gaz sont venus surprendre dans leurs foyers. Les manifestants se sont en effet réfugiés dans les maisons, choisissant n'importe lesquelles, sautant par-dessus les haies, les clôtures, forçant les portails, traversant des chambres, des salons, veillant toutefois à ne rien casser, s'excusant, et réconfortés, malgré l'imminence du danger, par l'accueil des propriétaires qui leur ont préparé des bassines d'eau fraîche pour se laver les yeux, et des lamelles de citron vert pour se protéger les narines. L'étudiant a pris refuge dans une maison basse donnant sur un couloir donnant sur d'autres maisons. Une maison qui sert de façade à des tas de maisonnettes se cachant derrière elle. Tout un monde dont on ne peut soupçonner l'existence si l'on se tient dans la rue. La journaliste au visage ridé a couru aussi vite que les manifestants, mais elle s'est arrêtée devant l'entrée de la maison et se trouve quasiment seule avec les policiers, le dos coincé au mur de la maison, filmant quand même, exerçant son métier jusqu'au bout, se croyant peut-être protégée par sa peau blanche et son accent américain, criant *don't shoot, don't shoot*. Les policiers se sont contentés de la pousser de côté pour dégager l'entrée. Ils ne veulent pas lui faire de mal, et ce n'est pas exactement leur faute si sa tête a heurté le mur et si son matériel s'est abîmé. C'est aux étudiants qu'ils en veulent, aux responsables de ce désordre, aux fauteurs de troubles. Lucien a entendu leurs aboiements, leur délire assassin, et tous ceux qui se sont réfugiés dans les maisons cachées derrière la maison à fonction de façade, de porte sur le dehors, ont entendu la promesse de mort qui s'adresse à eux et se sont terrés dans leur cache, refermant de l'intérieur les portes en tôle des latrines, s'aplatissant sous les lits en fer, et ne sentant ni l'odeur de merde des latrines, ni les éraflures du fer rouillé des sommiers, ils se sont accrochés à la vie, ils ont pleuré des larmes non voulues, ils ont juré silencieusement contre leur impuissance, ils ont souhaité pouvoir se battre, faire face, sont restés cachés jusqu'à ce que les policiers, frustrés de ne pas atteindre leurs cibles, aient pris, sans besoin de se concerter, la décision d'aller chercher ailleurs des cibles plus accessibles. Lucien s'est caché avec un groupe dans une sorte de dépôt rempli de charbon de bois et de poutres. Il ne connaît personne parmi ses colocataires. Une femme a vomi et elle hurle qu'elle va mourir. Un homme, trop âgé pour être un étudiant, tente vainement de convaincre la femme que l'effet du gaz va bientôt passer et que personne ne va mourir, que leur cause est juste, qu'elle doit cesser de gaspiller ses forces parce que la manifestation ne peut pas s'achever sur la défaite. *Nous allons nous regrouper et continuer.* Un homme d'âge mûr.

Presque vieux. Qui prend en main l'espoir, la volonté, le courage. Et les étudiants se sont étonnés du calme de cet homme, de sa détermination. Ils ont pris l'habitude de croire qu'ils ont tout inventé. Que rien ne s'est vraiment passé avant eux. Que personne avant eux n'avait su dire non. Que le rêve, la poésie, la contestation sont des choses nouvelles qu'ils apportent au monde comme un cadeau. *Ah ! Ernestine Saint-Hilaire, moi Noire, je vous le dis, malheur à celui dont la mémoire est aussi courte que sa vie !* Et la détermination de l'homme d'âge mûr gagnant l'ensemble des réfugiés coincés dans l'obscurité du dépôt, ils décident qu'il faut en effet reprendre la manifestation, achever le parcours. Et Lucien regarde l'homme d'âge mûr et ses camarades. La mémoire, on en a toujours trop ou pas assez. Quels gestes ont précédé les miens ? Et combien d'hommes venus des terres de l'intérieur ont aimé la mer avant moi ? Et qu'est-ce que c'est qu'un pays où chaque individu se croit le cœur du monde, le seul être suprême, la fin et le commencement ?

Au moment où la journaliste étrangère crie *don't shoot, don't shoot*, le chirurgien abandonne la dernière partie de poker et reprend le chemin de son domicile. Il est fatigué de perdre et il en a assez de l'interminable conversation autour des problèmes de l'heure et de l'évolution de la société. A chacun son boulot. Un des joueurs, un vieil ami avec des faux airs d'anticonformiste, l'a particulièrement agacé en répétant qu'ils ne devraient pas être là à boire du Chivas avant le déjeuner, mais dans la rue, où les choses se passent. Le chirurgien déteste la rue. Il a divisé le monde en deux parties, ses affaires et celles des autres. Il déteste la rue, ce passage obligé par les affaires des autres. L'agressivité des mendiants, les accrochages avec les chauffards, sur les grands boulevards. Les rues courtes et à sens unique transformées en terrain de foot. Le racolage. Ces jeunes filles sales qui l'interpellent, on te fait un prix pour nous toutes. Il n'arrive pas à aimer les pauvres. Il y en a tellement que si l'on s'aventure à les prendre au sérieux, cas par cas, on n'en finira pas. Marguerite et Eliphète touchent un salaire supérieur à la norme, et le dimanche il se fait un devoir de discuter avec le répétiteur, il ne peut pas faire mieux. Il regrette de ne pas pouvoir éviter la rue, heureusement il connaît suffisamment

Port-au-Prince pour éviter les zones dangereuses. Mais Little Joe aussi connaît Port-au-Prince. Et Little Joe a décidé qu'il n'aime pas attendre et qu'il y a bien une semaine qu'ils n'ont pas raflé une voiture, ses amis et lui. Ils se sont postés dans un quartier neutre, dans une rue peu passante, peu connue du service des statistiques des voitures volées. Une rue conservant un semblant d'innocence. Le chirurgien ne pense à rien. Il y a deux jeunes gens au milieu de la route. Et soudain une arme contre sa tempe. Un Glock. Il a reconnu l'arme. Un ami lui a un jour conseillé d'en acheter un, mais il a préféré un 38 Magnum. Ses films-cultes datent des années 1970. Et on lui a dit qu'il a la carrure de Clint Eastwood. Mais il se sent soudain tout petit. L'arme le terrifie moins que le visage du garçon qui la brandit. A peine plus âgé qu'Alfred. Alfred qui héritera du montant de la police d'assurance. Avec ça, il se débrouillera. Le chirurgien a aussi une pensée pour sa femme, laquelle a devant elle quelques années de coquetterie. Puis elle sera vieille, et la vieillesse la tuera. Le chirurgien croit que ce sont là ses dernières pensées, qu'il ne jouira pas de la maison de vacances dont la construction avance trop lentement sur la côte des Arcadins. Quelle poisse, mourir comme ça, bêtement, sans être allé au bout de ses possessions. Mais Little Joe et sa bande vont le décevoir. Ils ne l'ont pas attendu pour le tuer. La voiture leur suffit. Ils n'ont pas conduit depuis une semaine et craignent de perdre la main. Il leur faut leur dose, chacun son tour, à folle allure. *Où alliez-vous ? A l'hôpital. Vous êtes médecin ? Oui. Etes-vous l'un de ces bénévoles qui soignent les manifestants et rédigent des rapports pour les organismes de défense des droits de l'homme ? Non, je ne fais pas de bénévolat.* Little Joe voudrait quand même le descendre, lui tirer sans tergiverser une balle dans la tête, mais la consigne est de n'attaquer que les manifestants, et l'homme a répondu spontanément, avec un accent sincère, pour affirmer qu'il ne fait jamais de bénévolat. Et puis un type déjà soûl à dix heures du matin ne menace personne. *Laissons-le partir. Et redescendons mettre fin à cette comédie de manifestation, il paraît qu'ils sont en train de se regrouper pour continuer leur parcours. Les blessés, ça leur suffit pas. Ils veulent des morts, on va leur foutre des morts. Laisse partir cette loque. Et toi le docteur tu as intérêt à ne jamais reconnaître nos visages. Tu comprends ? Je comprends. Tu promets ? Oui, je promets.* Et le médecin n'ose pas lever la tête pour regarder ses assaillants. C'est exprès qu'ils lui parlent en cherchant son regard. Little Joe a rangé son Glock dans sa ceinture. Et le médecin respire mieux, sentant qu'il ne va pas mourir, que sauf imprévu il pourra jouir de sa maison de vacances, durer longtemps, assister à la vieillesse de sa femme, boire encore du Chivas et fumer des Benson avant de tout laisser à ce crétin d'Alfred. Il ose presque sourire. Ce qui agace Little Joe qui ressort son Glock pour rappeler l'homme à la peur. *Vous avez une mère ? Oui. Et elle ne vous a pas enseigné qu'il est fort malpoli de faire la conversation avec les gens sans jamais les regarder. Alors, on n'existe pas ? Tu parles à tes chaussures ? Enlève-les. Tu rentreras pieds nus. Oui, vous existez. Non, je ne parle pas à mes chaussures. Tu as des cigarettes ? Oui.* Et, sans lever la tête, le médecin tend son paquet de Benson and Hedges à Little Joe. Chaque mot prononcé par le médecin renouvelle chez Little Joe l'envie de le tuer. Cet homme-là, il est pire que nous, il n'en a rien à foutre de quoi que ce soit. Mon frère, même si c'est un con de se mêler de toutes les choses qui ne le regardent pas, au moins c'est quelqu'un, mais toi, t'es rien, t'es petit.

— *Vous êtes petit.*
— *Oui.*
— *Allez-vous-en.*
— *Oui.*
— *Revenez.*
— *Oui.*
— *Vous n'avez pas dit merci !*
— *Excusez-moi, merci beaucoup.*
— *Bon, allez-vous-en.*
— *Oui, merci.*
— *Attendez, revenez.*
— *Oui ?*
— *A l'avenir, faites quand même un peu de bénévolat.*

Et Little Joe et sa bande sont montés dans la voiture en votant pour déterminer leur parcours et qui prendra le deuxième tour. Le premier revient de droit à Little Joe. C'est lui qui a eu l'idée. Et dans les moments difficiles on sait qu'on peut compter sur lui. La radio annonce que les manifestants se sont bien regroupés. Ils sont presque aussi nombreux qu'au début de la marche et chantent qu'ils n'ont pas peur, qu'ils n'auront plus jamais peur. Les policiers aussi se sont regroupés et sont allés se poster un peu plus loin sur le parcours annoncé pour attendre la foule. *Ça va bientôt être à nous.* Ça embête Little Joe de céder le volant avant l'heure prévue, mais le boulot, c'est le boulot. Et, s'il n'aime pas la tête du recruteur ni ce besoin archaïque de tracer des exemples, il a reçu sa solde. Les autres, ils n'ont qu'à se tenir tranquilles et laisser les choses comme elles étaient. Seuls les imbéciles désirent changer le monde.

A dix heures quinze, l'épouse du médecin est loin de s'imaginer que des voyous ont dépouillé son mari de sa voiture préférée et de ses chaussures du dimanche matin, et qu'il remonte pieds nus vers son domicile, essayant vainement de s'identifier auprès des conducteurs des rares voitures qui passent. *Vous ne me reconnaissez pas, c'est moi, merde, c'est moi !* Mais les conducteurs ont d'autres préoccupations. Les choses se gâtant pour de vrai. La femme du médecin ne sait pas que le champion de la faculté de médecine qui a la réputation de ne jamais perdre son sang-froid est en train de chercher dans ses poches le paquet de cigarettes qu'il a donné à Little Joe. Il n'a pas osé s'arrêter, frapper à une quelconque porte, demander un téléphone pour appeler sa femme. Il ne veut surtout pas se montrer à elle en situation de faiblesse. Leur complicité s'arrête au paraître, et jamais elle n'a pleuré devant lui. Jamais il n'a faibli devant elle, laissé soupçonner la moindre douleur, le moindre besoin en dehors des exigences de confort qui vont avec leur statut. Elle ne sait pas qu'il va les pieds nus, se parlant à lui-même, se tâtant les poches, regardant par terre, qu'il pourrait ramasser n'importe quel mégot pour tirer une bouffée et retrouver son équilibre. Elle ne sait pas qu'en lisant l'enseigne

Epicerie du vrai Port-au-Princien il a pensé à frapper à la porte, s'expliquer, prendre une halte, exiger des cigarettes, laisser sa carte, promettre une consultation gratis. Il y a si longtemps qu'elle n'a pas fréquenté ces quartiers du bas de la ville. Elle ne peut donc pas savoir qu'il existe là une épicerie, que l'épicier et sa femme sont terrés derrière la porte, la femme hurlant des prières, le mari regardant son mari à elle par le trou de la serrure. Tout en suivant le mouvement de la rue, l'épicier écoute sur son poste les nouvelles de Mobile 5 qui a reçu un coup de matraque sur la tête, les commentaires de Mobile 4 indigné des brutalités exercées sur son confrère. Simone – pas la femme de l'épicier, celle du médecin, elles s'appellent toutes les deux Simone – ignore l'existence de l'épicerie, du quartier, de l'homme caché derrière le store pour épier les gestes de son mari, prenant ce dernier pour un fêtard s'étant fait piéger dans un bordel. Et l'épicier ignore l'existence de la femme du médecin. Il n'a dansé qu'avec une seule Simone. Il l'a épousée. C'était leur dernière danse. Sa Simone à lui, le temps l'a transformée en un sac à prières, un apôtre du cataclysme qui ne rit jamais. Il n'a jamais dansé avec l'autre Simone, celle que l'argent et l'oisiveté ont conservée dans sa beauté. N'ayant jamais dansé avec elle, il ne sait pas qu'elle danse très bien et trouve là son seul vrai plaisir, qu'elle redevient une vraie jeune fille quand elle danse, simple dans ses manières, généreuse et avenante comme elle l'a été un peu plus tôt dans la matinée, le temps d'une conversation avec l'étudiant, le temps d'un regard. Et tandis que, dans sa villa, sous les aboiements des chiens, la Simone des soirées mondaines s'abandonne à son mauvais côté et crie *Merde ! Eliphète, quand vous reviendrez, vous me le paierez !* l'épicier reste les oreilles collées à son transistor, se demandant pourquoi merde la vie tourne toujours à l'envers, pourquoi pas un bicentenaire d'orchestres et de fanfares, de feux d'artifice et de fontaines avec pistes et couples enlacés, et pourquoi pas une vraie femme dans sa boutique, à la place de cette créature irréelle en train de sauter comme une folle, les bras levés vers le ciel. Cette femme dont il ne peut rien attendre sinon des promesses de désastre et autres lamentations, parce que elle-même n'attend plus rien sinon la fin du monde. Une fin qui tomberait du ciel, alors que les cris des manifestants, les matraques des policiers, la boue qui emporte tout, les danses du ventre et les danses macabres, les rares joies, la musique d'hier et celle d'aujourd'hui, les bons mois pour la vente et les périodes creuses, le présent qui, chaque jour, grignote sur le passé, l'avenir menaçant avec tous les cadavres qu'on peut espérer, le pire qu'on annonce toujours pour bientôt, tout se joue à même le sol, à hauteur d'homme, avec des charniers en lieu et place des pistes de danse, des escadrons en lieu et place des orchestres. Et Simone – la femme de l'épicier, pas celle du médecin qui se prénomme aussi Simone –, le regard fixé sur le ciel, danse avec le Saint-Esprit, écrase le diable sous sa danse, appelle le monde à mourir. Et son mari, la croyant au bord de la crise cardiaque, n'ose pas lui crier, lui crie quand même : *Ta gueule, Simone, pourquoi veux-tu que le monde crève avec toi ! Apprends donc à mourir toute seule !* Et la voix de plus en plus rauque de Mobile 4 obligé d'abandonner son confrère aux bons soins des ambulanciers pour poursuivre son reportage. Mobile 4, *allô ! les studios*, de plus en plus essoufflé parce que les manifestants avancent au pas de course. Mobile 4, *allô ! les studios !* de plus en plus impressionné par le nombre de manifestants : *Une marée humaine ! Une marée humaine !* Mobile 4, *allô ! les studios ! jamais, de mémoire de journaliste on n'a vu tant de personnes dans une rue de Port-au-Prince ! jamais on n'a vu tant de personnes marchant ensemble dans un quelconque coin de ce pays, pas même les visiteurs des grottes de Camp Perrin où l'on dit que les colons avaient caché des jarres ; pas même à Ville Bonheur où des milliers de demandeurs vont au pied du saut d'eau parlementer avec la Vierge ; ni au pied du Calvaire où s'épuise l'espérance des mendiants de miracles...* Mobile 4, *allô ! les studios !* de plus en plus poète, de plus en plus emporté par le rythme des voix qui avancent en chantant qu'elles n'ont plus peur, qu'elles n'auront plus jamais peur ; Mobile 4, *allô ! les studios !* n'écoutant pas les conseils du rédacteur en chef lui rappelant son devoir d'objectivité, l'exhortant à se mettre à couvert. Mobile 4, *oui, d'accord*, continuant cependant à courir au rythme des manifestants résolus à terminer leur parcours pour poser leur gerbe de fleurs au Champ-de-Mars et célébrer leur bicentenaire à leur façon. Mobile 4, émerveillé, criant qu'il ne voit pas comment la police peut barrer le passage à une telle foule. L'épicier calculant que dans ce nouveau Port-au-Prince il y a tellement de personnes qu'en temps normal on a déjà du mal à trouver où poser le pied. *Mais bon Dieu de merde ils vont se faire massacrer, il suffit qu'au premier coup de feu ils se marchent dans les pieds. Voilà comment ça va finir !* Et sa femme continuant de danser avec le Saint-Esprit, infatigable, et l'épicier désespéré se disant qu'elle danse droit vers la crise cardiaque et qu'il ne trouvera pas un médecin disponible ni un lit vide à l'hôpital, et qu'il n'a de toutes les façons aucune chance de pouvoir la soulever si elle s'écroule. Dehors, le médecin a soupçonné une présence derrière le judas, mais il n'a pas osé frapper. Les appels à la fin du monde de Simone lui sont parvenus, mais il n'a pu mettre un sens sur les paroles. Vaincue par la fatigue de commander à un absent, l'autre Simone a abandonné l'espoir de trouver Eliphète, elle s'en vengera, il ne perd rien pour attendre. Le lendemain, il devra s'expliquer d'avoir pris la liberté de s'absenter alors qu'elle avait besoin de lui. Se souvenant de l'existence de son fils, elle a ouvert la porte de la chambre d'Alfred qu'elle trouve en train de jouer avec ses compagnons électroniques. Elle voudrait savoir comment avancent les leçons avec M. Lucien, et Alfred lui a répondu que les leçons se passent très bien, qu'une chose cependant l'intrigue, M. Lucien paraît jeune et vieux, il ignore tout des musiques à la mode et ne comprend rien aux jeux vidéo. Un soir ils n'ont pas travaillé, et Alfred a invité M. Lucien dans la chambre, ils ont joué pendant toute l'heure de la leçon, M. Lucien choisissant une voiture trop rapide pour lui, ne gagnant pas la moindre course de niveau A, c'est-à-dire de débutant. C'est une chose normale vu qu'il n'a pas l'habitude. *Sa voiture quittait la piste, et je devais lui expliquer les manœuvres pour la remettre dans la course. Après, M. Lucien a quand même dit que ce n'était pas bien de ne pas travailler et que je devais faire des efforts.* Et la mère a été contente d'entendre Alfred faire des phrases, et tous les deux ont eu une pensée pour M. Lucien, la mère redevenant la jeune fille simple qui a embrassé le jeune homme sur la joue, Alfred un garçon qui s'inquiète pour son compagnon de jeu. Puis, d'autres pensées ont remplacé M. Lucien. Alfred est retourné à ses jeux. La femme du médecin s'est dit qu'Eliphète exagérait, et ne voulant rien perdre de sa mauvaise humeur elle s'est mise à crier *Marguerite ! Marguerite, tonnerre ! Venez ici tout de suite, et dites-moi où, diable, est passé Eliphète !*

Personne ne peut dire l'heure exacte. Les montres ne s'accordent pas. Les montres ne tictaquent pas dans la même direction. Celle-ci a juste le temps de voir la bande du petit couper la manifestation en deux, attaquer la foule par le flanc. Celle-là, une montre de journaliste, avec un carnet, un magnétophone, une montre aux aguets comme une boîte à éphémérides, enregistre à la seconde près les premières gouttes de sang, la blessure arrivant par surprise, par le côté droit, les coups de feu, les barres de fer frappant au hasard, tapant dans la foule, touchant n'importe quelle jambe, n'importe quel visage, soulevant n'importe quel cri. Celle-ci ou celle-là, fragile comme une vie, se brise sous l'effet de la surprise, pour ne pas voir les gens courir dans tous les sens pour échapper aux coups. Les corps se poussent dans tous les sens pour forcer un passage dans la chair, trouver un chemin de fuite entre les corps qui crient. Il y en a qui vont dans la mauvaise direction, droit devant, vers les policiers qui ne prennent pas le temps d'ordonner l'arrêt de la marche, ne sont pas venus pour faire des sommations, parlementer, tergiverser, sont venus pour faire le même boulot que la bande à Little Joe. Les montres ne parlent pas pareil, ne regardent pas pareil. Telle a saisi à dix heures quarante-cinq la douleur d'un tibia heurtant le caniveau. Telle a noté dans la minute précédente la fermeture d'un œil, le balancement autonome d'une épaule brisée. Les montres ne souffrent pas pareil. Ne sonnent pas pareil. Comme les oiseaux. L'étudiant se souvient qu'Ernestine leur parlait souvent des oiseaux. *Ah ! Ernestine Saint-Hilaire, moi Noire, je vous le dis, l'oiseau diurne et l'oiseau nocturne ne chantent pas le même midi.* Au moment où la police et la bande à Little Joe décident de passer à l'attaque, de mettre fin à cette comédie de marche pour la paix, la montre qui tictaque dans la tête de l'étudiant zigzague, fait des fugues. Elle marche à toutes les heures sans savoir où elle va. Elle marche à l'heure d'Ernestine Saint-Hilaire qui, là-bas, dans son Plateau central, ne possède pas de transistor, n'entend ni les cris ni le bruit des balles que Mobile 4 continue de retransmettre en direct. *Ernestine Saint-Hilaire, moi Noire, je vous le dis, les nouvelles sont toujours mauvaises, et j'attends que Lucien me dise le fond des choses.* L'étudiant marche au pas de la montre d'Ernestine. La montre d'Ernestine qui ne veut pas démordre de ses folles espérances. *Lucien, dis-moi le fond des choses.* Il n'y a pas de fond des choses. Les choses sont comme tu les vois. Même quand tu ne vois pas, tu vois bien que le petit ne te rend jamais plus visite. Tu sais bien que ce n'est pas parce qu'il est malade ni parce qu'il veut rester concentré sur ses examens qu'il a ratés l'année dernière. Quand nous étions enfants, pour nous encourager à toujours dire la vérité, tu prétendais que la bouche du menteur dégageait une mauvaise odeur que l'homme d'honneur pouvait sentir à des kilomètres de distance. Tu t'entendais avec l'oncle Calisthène qui nous accusait de l'avoir fait passer une très mauvaise nuit tellement l'odeur de nos mensonges de la veille avait envahi sa maison. Ernestine Saint-Hilaire, ma bouche sent mauvais quand je te parle du petit. C'est pour ça que je marche. Pour trouver pas à pas le chemin de la vérité. Oui, je t'aime, Ernestine Saint-Hilaire, et je voudrais t'offrir de nouveaux yeux pour voir, une espérance qui viendrait corriger le passé. Je sais que tu seras morte avant que vienne la vraie vie. Je sais qu'aucune médecine actuelle ne pourra réveiller la lumière qui dort dans tes yeux. Je veux saluer tes yeux, les projeter dans les yeux des petites filles qui deviendront de fortes femmes et ne doivent pas mourir aveugles, bêtement, parce qu'il n'y a pas de médecin dans la zone, parce qu'il n'y a pas d'argent pour payer le médecin, parce que personne n'a jamais pris le temps de regarder leurs yeux. C'est pour tes yeux morts que je marche. Et l'étudiant marche dans la foule à l'heure d'Ernestine. Le hasard l'a rapproché d'Ayissa et de Paulémon qui se tiennent la main et marchent dans leur étreinte. Eux non plus n'ont pas entendu le bruit des premières agressions, l'entrée de la mort dans la rue. La mort est là, derrière leurs têtes. Elle scinde la foule, la coupe d'abord en deux, puis en milliers de petits morceaux. Mais la montre des amoureux ne marque que leur amour. Ils construisent leur rêve. Paulémon dit : tu aimeras d'autres hommes, et je te regarderai partir et rentrer. Et Ayissa répond : chaque fois que je m'en irai je te promettrai de te revenir et je te reviendrai. Quand la marche sera finie, quand tout cela sera fini et qu'on pourra fêter proprement le bicentenaire, ils engageront des discussions sur l'amour éternel et moderne. Car ils aiment parler de l'amour. Ils aiment l'amour. C'est pour cela aussi qu'ils marchent et ne réalisent pas encore qu'on est en train de tirer sur leurs promesses, qu'ils n'auront peut-être pas la chance d'un dernier baiser. Ils baignent dans leur amour. Avant le sang. Et l'amour inspire. Et l'étudiant qui n'a fait aucune promesse d'amour, qui n'attend de la vie aucune promesse d'amour, laisse faire sa montre à lui. Sa montre ne mise pas sur la longue durée. Elle n'a pas de projet, joue tout sur des moments volés. Elle veut prendre la mer, son seul vrai territoire. Et à la place de la journaliste au regard usé qui photographie leur marche, l'étudiant aimerait voir le visage de l'Etrangère. Il aimerait tellement voir ce visage qui a été d'abord un dos, ce visage plus beau que tous les contextes, que par la force du rêve il le voit. D'abord la robe, le dos. Puis la robe se retourne et devient une femme dont les yeux lui sourient. Et plus tard, au bout de quelques phrases qui ne prétendent à rien, les mains de la femme enlèveront la robe. Et le geste est beau, simple, comme une chose qui va de soi. Il voit ce visage et ce corps qui règnent sur la mer, pas la panique qui gagne les yeux de la journaliste étrangère, celle qui est là, pour de vrai, celle que sa rédaction a choisie parce qu'on peut faire confiance à son professionnalisme, celle qui photographie les tueurs et les victimes sans gaspiller un seul cliché, celle dont la peau est usée par tant de voyages, le regard habitué à toutes les horreurs, et qui pourtant a peur. Une bande de gamins dont les plus âgés ont à peine vingt ans, une bande de gamins trop jeunes pour détester la vie, qui avancent sur une foule avec des armes de toutes sortes, la jettent par terre, lui crachent dessus, la piétinent en continuant de lui cracher dessus, la frappent encore alors qu'elle est déjà tombée, qu'elle a perdu sa force de foule et rampe malgré elle pour se protéger des coups, s'éparpille malgré elle pour se mettre à l'abri sous les voitures en stationnement, dans les ruelles pourries, c'est une chose qui fait peur même lorsqu'on est vieille et expérimentée. Mais l'étudiant ne voit pas cela. Il voit la mer et l'Etrangère. Et il la touche. Sa main est mouillée. Le faux contact le ramène au réel. A la place de la main de l'Etrangère, là où elle caressait son visage, coule un liquide plus lourd que l'eau de mer. Des images troubles se chevauchent. Il sent que son corps balance, penche de tous les côtés. Son corps est le corps d'un homme qui va tomber. Il voit Paulémon et Ayissa. Il voit la fausse vie d'Ernestine, il voit ses compagnons de marche, et il voit aussi l'Etrangère. Un fond de mer. Le temps qu'il lui reste avant la chute, il verra ce fond de mer. Le temps qu'il lui reste à vivre, il entendra toutes ces montres dire des heures et des routes qui ne convergent pas. Qu'importe la durée. Il veut garder jusqu'à sa chute les images qu'il préfère. Personne ne peut rien dire de l'avenir de son corps, de son dernier pas, alors que la bande à Little Joe attaque la manifestation par le flanc, taillant des coupes claires dans la foule à coups de machette et de balles. Personne ne peut savoir qui a reçu en pleine poitrine la première balle perdue, qui a été visé au front à cause de sa grande taille. Personne ne peut dire l'heure exacte à laquelle le premier corps est tombé, l'heure à laquelle les derniers braves se sont agenouillés en face des policiers en chantant *Alléluia pour Haïti*, l'heure à laquelle les policiers ont voulu passer sur le corps immense de la foule agenouillée. Les montres ne s'accordent pas. Jamais ne s'accorderont. La femme du médecin possède une montre elle aussi. Une belle montre toujours en vacances qui ne lui sert jamais à rien, l'une des règles de la vie mondaine exigeant qu'une femme de son statut soit toujours en retard. Sa montre ne s'arrêtera que très tard dans l'après-midi sur les événements de la matinée, le temps d'une larme, en reconnaissant un nom sur la liste des victimes. Le temps d'une larme, elle redeviendra la jeune fille de la matinée, la jeune fille de son autre vie. Pour cinq minutes bien comptées, elle redeviendra la jeune fille. Alfred dira : *Pas M. Lucien. Non, pas M. Lucien !* avant de retourner à ses jeux vidéo. L'avantage des jeux vidéo, c'est que les morts ressuscitent à chaque nouvelle partie. Enfermé dans sa chambre, Alfred tuera beaucoup d'ennemis, passera facilement du niveau un au niveau intermédiaire, se fera tuer un millier de fois par les gadgets de haut niveau, ressuscitera chaque fois. Plus tard dans l'après-midi, le médecin racontera son histoire en fumant une Benson et voudra que sa femme et son fils la trouvent plus émouvante que celle de M. Lucien. *Mais, toi, papa, tu n'es pas mort.* Et papa n'aura pas besoin d'une montre pour conclure que sous ce toit, nul, en réalité, n'aime les autres. Et Eliphète arrivera lui aussi tard dans l'après-midi. Les chiens seront contents d'entendre son pas. Il aura beau leur lancer des coups de pied, il sera le seul à rire avec eux. Ils sentent qu'il existe entre eux et lui quelque chose comme une ressemblance, comme une fraternité de classe. Les patrons entendront son pas et la maîtresse de maison le convoquera. *Eliphète, où, merde, étiez-vous donc passé ?* Il mettra du temps à répondre à l'appel, entrera dans le petit salon avec un pansement sur le front. Dans la matinée il a reçu un coup à la tête, et il a perdu beaucoup de sang. *Non, madame, personne ne peut dire l'heure exacte. Nous étions prêts*

à faire face aux policiers, nous avions amassé
des pierres pour nous défendre, mais nous n'avons
pas vu les autres arriver. Des enfants, madame.
Pas plus grands que M. Alfred. Des enfants, ma-
dame ! Non, je n'ai pas besoin d'un jour de congé.
La montre d'Eliphète sait qu'il ne faut pas exa-
gérer. Déjà, il est sorti sans avertir, il ne va pas
maintenant réclamer un congé. Et tous trois ont
envie de lui demander s'il a vu M. Lucien. Mais
il ne se souvient pas d'avoir vu M. Lucien. Il ne se
souvient pas de grand-chose à part les gens qui
couraient et les policiers qui donnaient la charge,
main dans la main avec une poignée d'enfants-
tueurs. Il se souvient qu'il est tombé sur un corps,
que des gens qui fuyaient l'ont piétiné sans faire
exprès, que les gens se sont retournés pour s'ex-
cuser, que le corps lui servant de lit n'a pas réagi
sous son poids, qu'il ne faisait ni bruit ni mouvement. La dernière chose dont il se souvient
c'est l'image d'un adolescent, pas plus grand que
M. Alfred, soulevant une barre de fer, le frappant
une fois, deux fois, et peut-être d'autres fois
encore. Mais il ne se rappelle que les deux premiers coups. Après, il a ouvert les yeux à l'hôpital, avec une migraine qui gagnait tout son corps.
Voilà ce que sa mémoire a enregistré. Il n'a aucun
moyen de savoir qu'au moment où le voyou l'attaque à coups de barre de fer l'étudiant pour
lequel il a ouvert le portail dans la matinée est
en train de regarder les mains de Paulémon et
d'Ayissa se séparer. Ayissa fuit. Et le mouvement
de la foule la prive du support de la main de
Paulémon. Paulémon veut aller dans le même
sens qu'Ayissa. Il est né pour faire ça, aller dans
le sens d'Ayissa, même lorsqu'il n'est pas d'accord,
même lorsqu'il souffre de sa trop grande liberté.
Mais la foule court dans l'autre sens. Et il faut

traverser l'obstacle de plusieurs centaines de personnes pour atteindre Ayissa, la retrouver, l'aimer,
l'aider à rester vivante. Mais la marée l'emporte.
Il ne peut pas la suivre. Et l'étudiant regarde le
désespoir dans les yeux du lauréat de sa promotion. L'étudiant voit aussi le saint-louisien. Et il
se dit que le saint-louisien, s'il n'est pas sympathique avec ses manières de gendarme, peut mourir lui aussi. Finalement, pour bêtes que soient
les gens, personne n'est réductible à une leçon
apprise par cœur. Le saint-louisien ne sait pas
courir devant la menace des armes. Il n'a pas l'habitude. Il possède une montre comme toute personne sensée et jugeant le temps précieux. Une
montre précise qui ne badine pas avec les
secondes, parce que les frères de l'instruction
chrétienne ont donné à son propriétaire un sens
aigu de la discipline. Mais les frères instructeurs
ne lui ont pas appris à chronométrer la vitesse
d'un corps humain qui tombe dans ses bras, ni
celle d'une foule qui a perdu la tête et court et
tombe et crie et se relève et s'éparpille et exprime
en même temps tous les sentiments. Personne
n'est préparé pour un tel exercice. Le saint-
louisien est ébloui par la colère d'un vieillard
qui n'a pas de jambes pour courir et reste planté
au milieu de la rue, rassemblant ses forces pour
rester droit le temps de hurler : *Mais c'est l'année du Bicentenaire, tonnerre ! Il y a un pays à
construire !* Le saint-louisien fait front avec le
vieillard. Comme une montre déréglée qui change
le sens de ses aiguilles, le saint-louisien se bat
pour la première fois. Il regrette de n'avoir pas
appris à se battre dans son enfance. Il découvre
que c'est bon de se battre. Même si l'on perd.
Mais la bande à Little Joe est rompue au combat.
Ils se battent depuis toujours et ne prennent pas

la rue pour une bibliothèque rose. Ils savent que le triomphe inévitable de la colère du juste est un mythe épuisé, un piège pour les naïfs. Une foule se doit d'être un corps mou. Pourtant, quelques étudiants se sont regroupés et veulent faire front. Ils essaient de placer une carcasse de voiture au milieu de la rue pour freiner l'avancée des tueurs en uniforme. Cette folie de la résistance énerve Little Joe. La foule veut réagir, ce n'était pas prévu. Une foule se doit d'être un corps mou qui se dégonfle à la première piqûre. Little Joe s'énerve. Il entend des coups de feu. Il sait que les tueurs en uniforme ont sorti leurs armes. Il ne veut pas être en reste. C'est la première fois qu'il sort son Glock en plein jour, au milieu de la rue, devant des milliers de personnes. Il en éprouve une étrange sensation de bien-être, de puissance et de reconnaissance publique. Il tire un coup en l'air. L'effet est immédiat. Les derniers braves prennent la fuite. Il tire un autre coup. Plus bas. Il tire. Il tire. Il vide son chargeur en visant chaque fois plus bas. Jusqu'à la hauteur de cent vingt centimètres. D'après ses calculs, c'est la distance par rapport au sol de la poitrine d'un homme de taille moyenne. Il a vidé son chargeur, et chaque balle a été une joie. Il n'a visé personne en particulier. Les cadavres ciblés, c'est l'affaire des policiers et des politiques. Lui n'a pas d'ennemis. Pas même le propriétaire de l'*Epicerie du vrai Port-au-Princien* qui lui en veut d'avoir cambriolé son bazar. Une fois, et sans violence. Les trois autres, c'était pas lui. C'était une autre bande, et avec ses copains à lui, ils avaient dû leur mettre une raclée pour leur apprendre à opérer sans permission dans son quartier. Il n'aime pas l'épicier parce qu'on ne lance pas comme ça de fausses accusations.

Mais ça n'en fait pas un ennemi. Un homme qui passe ses journées derrière un comptoir à danser avec des fantômes ne peut être l'ennemi de personne. En plus, Lucien l'aime bien. Et Little Joe aime bien Lucien. Au fond, ça lui fait mal qu'ils ne puissent pas s'entendre. Mais Lucien croit que la vie peut devenir ce qu'elle n'est pas, une chose programmée qui passe du pire au meilleur. Lucien se shoote à la bonté, chacun sa drogue. Ce soir, Lucien ne rentrera pas. Et le cerveau bourré de crack, Little Joe deviendra à nouveau Ezéchiel. Il marchera dans leur enfance. Pour la dernière fois. Little Joe / Ezéchiel ne pleurera pas. Il y a longtemps qu'il ne pleure pas. C'est Babylone, merde ! Il augmentera sa dose de crack et dormira seul dans la chambre, ses pieds sur la gueule de Kobe Bryant, son lecteur CD crachant la musique. C'est Babylone, merde. *Bloody river.* Il dormira en suçant son pouce, son Glock sous l'oreiller, et le lendemain matin il ne baissera pas la tête en passant devant la maison de ses voisins, il ne répondra pas au salut de l'épicier qui ne manquera pas de le saluer. *Oui, Simone, ce n'est qu'un voyou, mais c'est son frère qu'il a perdu.* La montre de Little Joe restera trois jours à errer dans le crack. Hors du temps. Celle de Lucien s'est déjà arrêtée. Personne n'a noté l'heure exacte. Il n'y a pas de dernières paroles. Peut-être l'étudiant a-t-il parlé à Ernestine Saint-Hilaire. *Moi Noire, qui ai élevé mes fils dans la droiture...* Ne me regarde pas. N'ouvre pas les yeux sur la mort. Ne me regarde pas. Regarde ta terre du Plateau central telle que tu l'as rêvée. Regarde les champs avec les récoltes que tu as rêvées. Regarde le vert de la terre. Les arbres, les fleurs, toutes les plantes dans lesquelles la vie est née, toutes les plantes dans lesquelles la vie est appelée à grandir. Regarde les enfants qui rient, parce que le soir ne se couche pas sur leurs angoisses mais sur la promesse du matin. Regarde le fleuve qui a appris à mesurer son débit pour arroser la terre selon ses besoins. Et l'oncle Calisthène qui refuse de mourir et continue de visiter toutes les familles du village pour saluer leur bonheur. L'oncle Calisthène qui a retrouvé son parler authentique, parce qu'un homme qui gagne son pain dans le ventre chaud de sa terre n'a pas besoin d'emprunter le langage des autres. Ne me regarde pas. Regarde le cœur de la terre. Entends la vie qui monte comme l'oranger du conte qui monte, monte, et ne s'arrête jamais. Peut-être a-t-il aussi parlé à l'Etrangère qui n'apprendra la nouvelle que deux semaines plus tard, en s'informant par simple curiosité de l'évolution de la situation du pays de son reportage le moins percutant. Peut-être lui a-t-il parlé de la mer, de son corps, du roman sur le silence qu'il a rêvé d'écrire. Peut-être n'a-t-il rien dit, car ce n'est pas vrai que l'on trouve des choses à dire au moment où l'on va mourir. Peut-être toute cette poésie de l'agonie n'existe-t-elle que dans l'imagination des auteurs. Peut-être a-t-il simplement senti ce liquide plus chaud que l'eau de mer couler sur son visage. Pas longtemps. Juste avant de tomber. En dehors des informations précises fournies par Mobile 4, il n'y a pas de certitude. Mobile 4 a suivi la manifestation du début à la fin. On peut le croire quand il affirme qu'on a trouvé dans les poches de l'étudiant un chèque à son nom émis par un grand médecin de la ville, une lettre qu'on pourrait dire d'amour, une boîte d'allumettes et un paquet de cigarettes à moitié vide. Que le cadavre était couché sur le dos, les yeux ouverts fixant le ciel bas des banderoles. Les vieilles, les neuves, les unes plus grandes que les autres, mêlant dans leur désordre passé, présent, avenir. La plus large de toutes. Celle qu'on ne peut pas rater. Les couleurs sont frappantes, moitié bleu, moitié rouge : 2004, année du Bicentenaire.

B∆BEL

Extrait du catalogue

Ouvrage réalisé
par l'atelier graphique Actes Sud.
Reproduit et achevé d'imprimer
en juillet 2015
par Normandie Roto Impression s.a.s.
61250 Lonrai
sur papier fabriqué à partir de bois provenant
de forêts gérées durablement (www.fsc.org)
pour le compte des éditions
Actes Sud
le Méjan
Place Nina-Berberova
13200 Arles.

Dépôt légal
1ʳᵉ édition : mars 2006
Nº d'impression : 1503381
(Imprimé en France)